LA MEJOR COCINA

Rápido y fácil

NOTA

Se considera que 1 cucharadita equivale a 5 ml y
1 cucharada a 15 ml. Si no se indica lo contrario, la leche será siempre entera,
los huevos y las verduras u hortalizas, como por ejemplo las patatas, de tamaño
medio, y la pimienta, pimienta negra recién molida.

Las recetas que llevan huevo crudo o muy poco cocido no son indicadas para
los niños muy pequeños, los ancianos, las mujeres embarazadas, las personas
convalecientes y cualquiera que sufra alguna enfermedad.

Sumario

Introducción

Este libro está dirigido a todas aquellas personas
que quieren seguir una dieta saludable pero de
rápida y fácil preparación, e incluye recetas ade-
cuadas para vegetarianos. Su fin primordial es
demostrar que, con un poco de previsión, aunque
se dedique muy poco tiempo a la cocina se puede

seguir disfrutando de apetitosas comidas. Las recetas de esta colección proceden
de diversas partes del mundo. Algunos de los platos indios y de las barbacoas
que se presentan requieren adobos o marinadas de una noche o de varias horas,
pero en todos los casos el tiempo de preparación y cocción es mínimo.

Los platos más exóticos que se ofrecen se combinan con otros tradicionales
que, con toda seguridad, se convertirán en los predilectos de toda la familia. Y si
lo que le interesa es la comida rápida o la comida de cada día, o tiene poco
tiempo pero quiere preparar para una cena un original y delicioso banquete, en
este libro encontrará la respuesta. Para ahorrar tiempo en la cocina, tenga
siempre en la despensa productos como arroz, pasta, especias y hierbas; así
podrá elaborar fácilmente muchas de estas recetas.

Harina

Conviene tener varios tipos de harina: la de fuerza y la integral son las más útiles. También resulta útil disponer de harina de arroz y de maíz para espesar salsas y para elaborar pasteles y pudines.

Cereales y arroz

Disponer de una buena variedad de cereales es esencial. En cuanto al arroz, existen muchos tipos, desde el de grano largo al basmati, el arborio italiano, el de grano corto y el salvaje. Otros cereales aportan variedad a la dieta. Trate de tener cebada, mijo, trigo bulgur, polenta, avena, sémola y tapioca.

Pasta

La pasta es un recurso útil y se presenta en muchos tipos y formas entre los que es posible elegir. Tenga un buen surtido que abarque tallarines, cintas, lazos, espirales, por ejemplo.

Hierbas

Para aportar variedad a los platos, resulta interesante contar con una buena selección de hierbas secas. Tenga reservas de albahaca, tomillo, hojas de laurel, orégano, romero, hierbas surtidas y ramilletes. Y plante en un tiesto perejil o menta.

Especias

Las especias básicas que conviene tener siempre a mano incluyen guindillas frescas, jengibre, ajo, guindilla molida, cúrcuma, pimentón, clavo, cardamomo, pimienta negra, cilantro molido y comino molido. Las especias molidas se conservan bien en recipientes herméticos, mientras que las guindillas, el jengibre y los ajos frescos se conservan durante 7-10 días en el frigorífico. El jengibre se puede cortar en trozos de dos dedos, guardar en el congelador y rallar, sin descongelarlo, cuando se necesite.

Legumbres

Las legumbres son una valiosa fuente de proteínas, vitaminas y minerales. Tenga siempre en casa legumbres secas o en tarro, como soja, alubias —blancas, rojas y pintas, por ejemplo—, garbanzos, lentejas, guisantes y habas.

Frutas secas

Grosellas, pasas, sultanas, dátiles, manzana, orejones de albaricoque, higos, pera, melocotón, ciruelas pasas, papaya, mango, plátano y piña secos se pueden incorporar en una gran cantidad de diferentes recetas. También resultan útiles los frutos secos, como almendras, avellanas y nueces.

Aceites y grasas

El aceite añade sutiles sabores a los alimentos; por lo tanto, es una buena idea tener un amplio surtido en la alacena de la cocina. Use un aceite de oliva suave para cocinar y aceite de oliva virgen extra para aliñar las ensaladas. El de girasol es adecuado como aceite de uso general, y con él se obtienen buenos resultados. El aceite de sésamo es estupendo para frituras; los de avellana y nuez son excelentes para aliñar ensaladas.

Vinagres

Tenga siempre a mano tres o cuatro tipos de vinagre: de vino tinto o blanco, de sidra, de malta, al estragón, de jerez o vinagre balsámico, por ejemplo. Cada uno de ellos añadirá un carácter peculiar a sus recetas.

Mostazas

Las mostazas se elaboran con semillas de mostaza negras, marrones o blancas, que se muelen y se mezclan con especias. La mostaza de Meaux tiene una textura granulosa y un sabor cálido; la de Dijon, un sabor muy marcado y acre. La mostaza alemana es suave y resulta la más adecuada para preparar platos escandinavos y alemanes.

Recetas básicas

Caldo fresco de pollo

PARA OBTENER 1,7 LITROS

1 kg de pollo sin piel

2 tallos de apio

1 cebolla

2 zanahorias

1 diente de ajo

unas ramitas de perejil fresco

2 litros de agua

sal y pimienta

1 Ponga todos los ingredientes en una cazuela y llévelos a ebullición a fuego medio.

2 Con una espumadera, elimine la espuma de la superficie. Reduzca la temperatura y cuézalo a fuego suave durante 2 horas, con la cazuela parcialmente tapada; después, deje enfriar el caldo.

3 Forre un colador con muselina y apóyelo sobre una jarra o un cuenco grande. Cuele el caldo. Guarde el pollo para otra ocasión. Deseche el resto de los ingredientes. Tape el caldo y métalo en la nevera.

4 Antes de emplear el caldo, elimine con la espumadera la grasa que flote en la superficie. Consérvelo en la nevera 3-4 días, o bien congélelo en porciones.

Caldo fresco vegetal

Se conserva en la nevera hasta 3 días, y también se puede congelar y guardar hasta 3 meses. A este caldo no se le añade sal durante la cocción; es preferible sazonarlo teniendo en cuenta el plato en el que se va a emplear.

PARA OBTENER 1,5 LITROS

250 g de chalotes

1 zanahoria grande cortada en dados

1 tallo de apio picado

½ bulbo de hinojo

1 diente de ajo

1 hoja de laurel

unas ramitas de perejil y de estragón frescos

2 litros de agua

pimienta

1 Ponga todos los ingredientes en una cazuela y llévelos a ebullición a fuego medio.

2 Con una espumadera, elimine la espuma de la superficie. Reduzca la temperatura y cuézalo a fuego lento durante 45 minutos, con la cazuela parcialmente tapada. Deje que el caldo se enfríe.

3 Forre un colador con muselina y apóyelo sobre una jarra o un cuenco grande. Cuele el caldo. Deseche las hierbas y las verduras.

4 Tape el caldo y consérvelo en la nevera hasta 3 días, o bien, congelado en pequeñas cantidades, hasta 3 meses.

Caldo fresco de cordero

PARA OBTENER 1,7 LITROS

aproximadamente 1 kg de huesos de
un asado de cordero o de huesos
de cordero crudo troceados
2 cebollas en las que se habrán
pinchado 6 clavos, o cortadas
en rodajas, o troceadas
2 zanahorias cortadas en rodajas
1 puerro cortado en rodajas
1-2 tallos de apio cortados en rodajas
1 ramillete de hierbas
unos 2,25 litros de agua

1 Trocee o rompa los huesos y
póngalos en una cazuela grande
junto con los otros ingredientes.

2 Llévelo a ebullición, a fuego
medio. Espume la superficie.
Reduzca la temperatura, tape
parcialmente la cazuela y cuézalo a
fuego lento durante 3-4 horas. Cuele
el caldo y déjelo enfriar.

3 Elimine la grasa de la superficie
del caldo y métalo en la nevera.
Si quiere conservar el caldo durante
más de 24 horas, deberá hervirlo
cada día, enfriarlo rápidamente y
volver a guardarlo en el frigorífico.
Congelado, se conserva hasta
2 meses. Viértalo en una bolsa de
plástico grande y séllela, dejando
como mínimo un espacio vacío de
2,5 cm, o bien haga cubitos.

Caldo fresco de pescado

PARA OBTENER 1,7 LITROS

1 cabeza de rape o merluza, por
ejemplo, más los retales, pieles y
espinas, o sólo los retales, pieles
y espinas
1-2 cebollas cortadas en rodajas
1 zanahoria cortada en rodajas
1-2 tallos de apio cortados en rodajas
un buen chorro de zumo de limón
1 ramillete de hierbas o 2 hojas de
laurel

1 Aclare la cabeza de pescado y
los retales y póngalos en una
cazuela. Cúbralos con agua y llévela
a ebullición a fuego medio.

2 Espume la superficie y añada
los otros ingredientes. Reduzca
la temperatura y cuézalo, tapado,
30 minutos. Cuélelo y déjelo enfriar.

3 Conserve este caldo en el
frigorífico para usarlo en un
plazo de 2 días.

Pasta de harina de maíz

Esta pasta, que se utiliza para
espesar salsas, se prepara
diluyendo 1 parte de harina de maíz
con aproximadamente 1½ partes de
agua fría. Remueva hasta obtener
una mezcla sin grumos.

Sopas y cremas

Los platos de este capítulo combinan una gran variedad de sabores y texturas de todo el mundo. Hay sopas y purés muy espesos, claros y transparentes consomés y cremas que harán las delicias de los vegetarianos. La extensa gama de ideas incluye reconfortantes cocidos invernales, densos y cremosos, y recetas asiáticas para preparar sopas ligeras y picantes. Muchas se han elegido por su contenido nutricional y pueden formar parte de una dieta baja en calorías. Y todas pueden tomarse como primer plato o incluso como una comida ligera, acompañadas con pan tierno. La procedencia de las recetas es muy diversa, pero destacan especialmente las sopas mediterráneas, indias y asiáticas. Sin duda, aquí todo el mundo encontrará algo de su agrado.

sopa de alcachofa

para 4 personas

1 cucharada de aceite de oliva

1 cebolla picada

1 diente de ajo chafado

800 g de corazones de alcachofa
en conserva, escurridos

600 ml de caldo vegetal caliente

150 ml de nata líquida

2 cucharadas de tomillo fresco

2 tomates secados al sol, cortados
en tiras, para adornar

SUGERENCIA

Si lo desea, en el paso 5, añada a
la sopa 2 cucharadas de vermut
seco, por ejemplo Martini.

---

1 Caliente el aceite en una cazuela
a fuego medio y sofría la cebolla
y el ajo hasta que se ablanden.

2 Con un cuchillo afilado, trocee los
corazones de alcachofa. Añádalos
al sofrito. Vierta el caldo en la cazuela
y remueva, a fuego medio.

3 Cuando hierva, reduzca la
temperatura, tape el recipiente
y cuézalo a fuego lento 3 minutos.

4 Triture la sopa en la batidora
hasta obtener una crema fina.
Si lo prefiere, pásela por el chino,
oprimiendo los ingredientes contra
las paredes con una mano de mortero.

5 Vierta la crema en la cazuela y
agregue la nata y el tomillo.

6 Pase la crema a un cuenco
grande, tápela y déjela enfriar
en la nevera durante 3-4 horas.

7 Distribuya la crema, muy fría,
entre 4 boles individuales. Decore
con tiras de tomate secado al sol y sirva
inmediatamente.

crema de pimiento rojo

para 4 personas

225 g de pimiento rojo en rodajas

1 cebolla cortada en rodajas

2 dientes de ajo chafados

1 guindilla verde fresca picada

300 ml de *passata* (preparación
italiana de tomate triturado)

600 ml de caldo vegetal

2 cucharadas de albahaca fresca
picada

4 ramitas de albahaca, para decorar

VARIACIÓN

Esta crema también es deliciosa
fría, decorada con círculos
de yogur natural (150 g).

1 Ponga el pimiento, la cebolla, el
ajo y la guindilla en una cazuela.
Añada la *passata* y el caldo y llévelo a
ebullición a fuego medio, removiendo.

2 Reduzca la temperatura y cuézalo
a fuego lento durante 20 minutos
o hasta que el pimiento esté tierno.
Cuele la preparación y reserve por
separado el líquido y las hortalizas.

3 Pase las hortalizas por el chino o
por un tamiz, oprimiéndolas con
la mano de mortero. Si lo prefiere,
tritúrelas en un robot de cocina.

4 Ponga el puré obtenido en una
cazuela limpia y añada el líquido
de cocción reservado. Agregue la
albahaca y caliente la crema. Sírvala
en 4 boles, adornada con albahaca.

sopa de fideos y champiñones

para 4 personas

125 g de champiñones

½ pepino

2 cebolletas

1 diente de ajo

2 cucharadas de aceite
   vegetal

600 ml de agua

25 g de fideos de arroz chinos

¼ de cucharadita de sal

1 cucharada de salsa de soja

SUGERENCIA

Si extrae con una cuchara las
semillas del pepino, al cortarlo
en rodajas quedará más bonito.
De este modo se reduce también
su sabor amargo.

1 Limpie los champiñones, aclárelos bien y enjuáguelos con papel de cocina. Córtelos en rodajas finas. No los pele, de esta manera serán más sabrosos.

2 Corte el pepino por la mitad a lo largo. Con cuidado, extraiga las semillas con una cucharilla, y después córtelo en rodajas finas y resérvelas.

3 Pique las cebolletas y corte el ajo en tiritas.

4 Vierta el aceite en una cazuela o un wok y caliéntelo a fuego medio.

5 Sofría la cebolleta y el ajo durante 30 segundos. Añada los champiñones y sofría durante 2-3 minutos más.

6 Vierta el agua. Corte los fideos en trocitos e incorpórelos en la sopa. Llévela a ebullición a fuego medio, removiendo de vez en cuando.

7 Añada las rodajitas de pepino, la sal y la salsa de soja, y cuézalo a fuego lento durante 2-3 minutos.

8 Reparta la sopa entre 4 boles precalentados, procurando distribuir por igual los fideos y las verduras. Sírvala de inmediato.

sopa de setas y jengibre

para 4 personas

15 g de setas chinas secas o

125 g de setas silvestres

1 litro de caldo vegetal caliente

125 g de fideos al huevo muy finos

2 cucharaditas de aceite de girasol

3 dientes de ajo chafados

un trozo de raíz de jengibre de dos
    dedos, cortado en trocitos
    menudos

½ cucharadita de salsa de setas

1 cucharadita de salsa de soja clara

125 g de brotes de soja

hojas de cilantro fresco,
    para decorar

SUGERENCIA

Los fideos de arroz no contienen
grasa y son ideales para
cualquier dieta baja en calorías.

1 Si utiliza setas secas, remójelas,
durante 30 minutos como mínimo
en 300 ml del caldo. Separe y deseche
los piès de las setas, si son frescas, y
corte los sombreros en rodajas. Si ha
puesto las setas en remojo, escúrralas
y reserve el líquido.

2 Cueza los fideos en agua
hirviendo durante 2-3 minutos, a
fuego medio. Escúrralos, aclárelos bajo
el chorro del agua fría y resérvelos.

3 Caliente un wok a fuego medio,
vierta el aceite, caliéntelo e
incorpore el ajo y el jengibre. Saltee y
añada las setas. Saltee 2 minutos más.

4 Agregue el resto del caldo y el
líquido de remojo de las setas,
y llévelo a ebullición a fuego medio.
Añada las salsas de setas y de soja.

5 Incorpore los brotes de soja y
prolongue la cocción 1 minuto.
Distribuya los fideos entre 4 boles y
vierta encima la sopa. Decore con
ramitas de cilantro y llévela a la mesa.

sopa de lechuga y tofu

para 4 personas

200 g de tofu escurrido

2 cucharadas de aceite vegetal

1 zanahoria cortada en rodajas finas

un trozo de 1 cm de raíz de jengibre
    fresco, cortado en trocitos menudos

3 cebolletas en rodajas diagonales

1,2 litros de caldo vegetal

1 cucharada de salsa de soja

2 cucharadas de jerez seco

1 cucharadita de azúcar

125 g de lechuga romana en tiras

sal y pimienta

SUGERENCIA

Antes de cortarla en rodajas, haga unas acanaladuras a lo largo de la zanahoria con un cuchillo afilado. Así, los trozos parecerán flores.

1 Con un cuchillo bien afilado, corte el tofu en daditos.

2 Caliente un wok grande a fuego medio. Añada el aceite, caliéntelo y sofría el tofu hasta que esté dorado. Sáquelo con una espumadera y deje que se escurra sobre papel de cocina.

3 Ponga en el wok la zanahoria, el jengibre y la cebolleta, y saltéelo todo durante 2 minutos.

4 Agregue el caldo, la salsa de soja, el jerez y el azúcar. Remueva. Llévelo a ebullición a fuego medio, reduzca la temperatura y cuézalo durante 1 minuto.

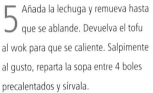

5 Añada la lechuga y remueva hasta que se ablande. Devuelva el tofu al wok para que se caliente. Salpimente al gusto, reparta la sopa entre 4 boles precalentados y sírvala.

crema picante de lentejas y zanahoria

para 6 personas

125 g de lentejas rojas

1,2 litros de caldo vegetal

350 g de zanahorias, en rodajas

2 cebollas picadas

225 g de tomate triturado de lata

2 dientes de ajo picados

2 cucharadas de *ghee* (mantequilla clarificada) o de aceite vegetal

1 cucharadita de comino molido

1 cucharadita de cilantro molido

1 guindilla verde fresca, sin semillas y picada

½ cucharadita de cúrcuma

1 cucharada de zumo de limón

300 ml de leche

2 cucharadas de cilantro fresco picado

sal

yogur natural, para servir

SUGERENCIA

Las lentejas tienen un papel destacado en una dieta saludable porque proporcionan hidratos de carbono, los cuales se coincide en recomendar que cubran el 50% de las necesidades energéticas diarias totales del cuerpo.

1 Ponga las lentejas en un colador y aclárelas bien bajo el chorro del agua fría. Escúrralas y póngalas en un cazo grande con 850 ml del caldo, la zanahoria, la cebolla, el tomate y el ajo. Llévelo a ebullición a fuego medio, tape el cazo y cuézalo a fuego lento durante 30 minutos, hasta que las hortalizas y las lentejas estén blandas.

2 Mientras tanto, caliente el *ghee* en un cacito a fuego lento. Añada el comino, el cilantro, la guindilla y la cúrcuma, y fríalo durante 1 minuto. Aparte el recipiente del fuego e incorpore el zumo de limón y sal.

3 Con un batidora, triture la sopa en tandas hasta obtener una crema fina. Viértala en la cazuela, añada la mezcla de especias y los 300 ml de caldo restantes, tápelo y cuézalo a fuego lento durante 10 minutos.

4 Agregue la leche y rectifique la sazón si es necesario. Incorpore el cilantro y caliéntelo todo bien. Sirva la crema en 6 boles precalentados, adornada con unos remolinos de yogur.

sopa de garbanzos

para 4 personas

2 cucharadas de aceite de oliva

2 puerros cortados en rodajas

2 calabacines cortados en dados

2 dientes de ajo chafados

800 g de tomate triturado de lata

1 cucharada de pasta de tomate

1 hoja de laurel fresca

850 ml de caldo vegetal

400 g de garbanzos en conserva, escurridos y aclarados

225 g de espinacas

sal y pimienta

PARA ACOMPAÑAR

queso parmesano recién rallado

pan de tomate secado al sol calentado

SUGERENCIA

En el norte de África se consumen muchos garbanzos, así como en España, Oriente Medio y la India. Tienen sabor a nuez y una textura firme, y los que se venden en tarro son excelentes.

1 Caliente el aceite en una cazuela grande a fuego medio. Saltee el puerro y el calabacín durante 5 minutos, sin dejar de remover.

2 Añada el ajo chafado, el tomate triturado, la pasta de tomate, la hoja de laurel, el caldo y los garbanzos.

3 Llévelo a ebullición y después cuézalo a fuego lento 5 minutos.

4 Corte las espinacas en tiras finas, añádalas a la sopa y cuézalas 2 minutos. Salpimente al gusto.

5 Deseche la hoja de laurel. Reparta la sopa entre 4 boles calientes. Sírvala con queso parmesano y con pan de tomate secado al sol.

sopa de tomate con pasta

para 4 personas

55 g de mantequilla sin sal

1 cebolla grande picada

600 ml de caldo vegetal

900 g de tomates pera, pelados
   y troceados

una pizca de bicarbonato

225 g de pasta (espirales)

1 cucharadita de azúcar

150 ml de nata espesa

sal y pimienta

hojas de albahaca fresca, para
   decorar

1 Derrita la mantequilla en una cazuela a fuego medio y fría la cebolla. Añada 300 ml del caldo, el tomate triturado y el bicarbonato. Llévelo a ebullición y después cuézalo a fuego lento durante 20 minutos.

2 Aparte la cazuela del fuego. Cuando la sopa se haya enfriado un poco, tritúrela en una batidora. Cuele la sopa de tomate a través de un colador de malla fino sobre la misma cazuela de cocción previamente aclarada.

3 Añada al contenido de la cazuela el resto del caldo y la pasta; salpimente al gusto.

4 Añada el azúcar y lleve la sopa a ebullición, a fuego medio; reduzca la temperatura y cuézala durante unos 15 minutos.

5 Vierta la sopa en una sopera y decore la superficie con un chorrito de nata en forma de remolino. Ponga unas hojitas de albahaca fresca y sírvala inmediatamente.

crema de calabaza

para 4 personas

2 cucharadas de aceite de oliva

2 cebollas medianas picadas

2 dientes de ajo picados

900 g de calabaza, pelada y cortada
en dados de 2,5 cm

1,5 litros de caldo vegetal o de pollo
hirviendo

la ralladura fina y el zumo de
1 naranja

3 cucharadas de hojas de tomillo
frescas

150 ml de leche

sal y pimienta

SUGERENCIA

Las calabazas suelen ser muy
grandes, y en muchas verdulerías
las venden a trozos. Si no
encuentra una del peso indicado,
puede doblar la cantidad de los
ingredientes y conservar la
crema, congelada, hasta 3 meses.

1 Caliente el aceite en una cazuela a fuego medio y sofría la cebolla, removiendo, durante 3-4 minutos, hasta que esté blanda. Agregue el ajo y la calabaza y rehogue durante 2 minutos, sin dejar de remover.

2 Añada el caldo, la ralladura y el zumo de naranja y 2 cucharadas de tomillo. Tape la cazuela y déjelo cocer suavemente durante 20 minutos o hasta que la calabaza esté tierna.

3 Triture la sopa en una batidora, o bien pásela por un pasapurés colocado sobre un bol grande para obtener una crema fina. Salpimente al gusto.

4 A continuación, vierta la crema en la cazuela y añada la leche. Caliéntela a fuego lento durante 3-4 minutos.

5 Espolvoree la crema con el resto de las hojas de tomillo fresco justo antes de servirla.

6 Finalmente, repártala entre 4 boles precalentados y sírvala acompañada con pan crujiente.

crema de espinacas y mascarpone

para 4 personas

55 g de mantequilla

1 manojo de cebolletas picadas

2 tallos de apio picados

350 g de espinacas o 3 manojos
de berros

850 ml de caldo vegetal

225 g de queso mascarpone

1 cucharada de aceite de oliva

2 rebanadas de pan gruesas en dados

½ cucharadita de semillas de
alcaravea

sal y pimienta

bastones de pan con semillas de
sésamo para acompañar

1 Derrita la mitad de la mantequilla en un cazo grande a fuego medio y, removiendo, sofría la cebolla y el apio durante 5 minutos o hasta que se ablanden.

2 Incorpore las espinacas o los berros. Añada el caldo, llévelo a ebullición a fuego medio y después cuézalo a fuego lento, tapado, durante 15-20 minutos.

3 Ponga la sopa en una batidora y tritúrela bien. También puede pasarla por el chino, oprimiendo los ingredientes con el dorso de una cuchara o una mano de mortero.

4 Añada el mascarpone a la crema y caliéntela a fuego lento, sin dejar de remover, hasta obtener una mezcla fina y homogénea. Salpimente al gusto.

5 Caliente el resto de la mantequilla junto con el aceite en una sartén, a fuego medio, y fría los dados de pan, dándoles la vuelta a menudo, hasta que se doren. Para evitar que se quemen, eche las semillas de alcaravea en la sartén un momento antes de sacar los picatostes.

6 Reparta la sopa entre 4 boles calientes. Esparza los picatostes por encima y sírvala con bastones de pan con semillas de sésamo.

crema de remolacha y patata

para 6 personas

1 cebolla picada

350 g de patatas cortadas en dados

1 manzana pequeña para cocer,
   pelada, sin corazón y rallada

3 cucharadas de agua

1 cucharadita de semillas de comino

500 g de remolacha cocida, pelada
   y cortada en dados

1 hoja de laurel

una pizca de tomillo seco

1 cucharadita de zumo de limón

600 ml de caldo vegetal caliente

4 cucharadas de nata ácida

sal y pimienta

ramitas de eneldo fresco

3 Agregue la remolacha, el laurel, el tomillo, el zumo de limón y el caldo. Tape el bol y cuézalo a potencia alta durante 12 minutos. Hacia la mitad del tiempo de cocción, remueva y deje el bol destapado los últimos 5 minutos.

6 A continuación, vierta el puré de verduras en un bol limpio junto con el líquido reservado y mezcle bien. Salpimente al gusto. Tape y cuézalo a potencia alta durante 4-5 minutos, hasta que la crema empiece a chisporrotear.

1 En un bol, ponga la cebolla, la patata, la manzana y el agua. Métalo en el microondas 10 minutos a potencia alta.

4 Deseche la hoja de laurel. Cuele la sopa y reserve el líquido.

7 Reparta la crema entre 6 boles precalentados. Sobre la superficie de la crema, dibuje una espiral con 1 cucharada de nata y decore con unas ramitas de eneldo fresco.

2 Incorpore el comino y siga cociéndolo durante 1 minuto más.

5 Ponga las verduras con un poco del líquido reservado en una batidora o robot y tritúrelo bien.

23

crema de col agridulce

para 4-6 personas

70 g de sultanas

125 ml de zumo de naranja

1 cucharada de aceite de oliva

1 cebolla grande picada

250 g de col cortada en tiras

2 manzanas, peladas y cortadas
en dados

125 ml de zumo de manzana

400 g de tomate pelado de lata

225 ml de zumo de tomate o
vegetal

100 g de pulpa de piña, picada
muy menuda

1,2 litros de agua

2 cucharadas de vinagre de vino

sal y pimienta

hojas de menta fresca, para decorar

SUGERENCIA

Para hacer esta crema
puede utilizar col verde
o blanca; sin embargo, no
elija col roja, ya que requeriría
un tiempo de cocción
demasiado largo.

1 Ponga las sultanas en un bol, cúbralas con el zumo de naranja y déjelas en remojo 15 minutos.

2 Caliente el aceite en una cazuela grande a fuego medio y rehogue la cebolla, removiendo de vez en cuando, durante 3-4 minutos, o hasta que empiece a ablandarse. Agregue la col y siga rehogando 2 minutos más, pero sin dejar que se dore.

3 Añada la manzana y su zumo; tape y cuézalo 5 minutos. Incorpore el tomate, el zumo de tomate, la piña y el agua. Salpimente al gusto y agregue el vinagre. Añada las sultanas junto con el zumo de naranja. Llévelo a ebullición a fuego medio, después reduzca la temperatura, tape parcialmente la cazuela y deje que prosiga la cocción durante 1 hora, hasta que frutas y verduras estén tiernas.

4 Aparte la cazuela del fuego. Cuando la sopa se haya enfriado un poco, tritúrela en dos o más tandas en una batidora hasta obtener un puré suave (si utiliza un robot de cocina, cuele el líquido de cocción y resérvelo; triture los ingredientes sólidos con sólo un poco de líquido, y después incorpore el resto).

5 A continuación, vierta la crema en la cazuela y cuézala a fuego lento durante 10 minutos. Repártala entre los boles precalentados y decore con hojas de menta fresca. Sírvala inmediatamente.

sopa de champiñones

para 4 personas

40 g de mantequilla

700 g de champiñones en láminas

1 cebolla picada

1 chalote picado

25 g de harina

2-3 cucharadas de vino blanco
   o jerez seco

1,4 litros de caldo vegetal

150 ml de nata líquida

2 cucharadas de perejil fresco picado

zumo de limón, opcional

PARA DECORAR

4 cucharadas de nata ácida

4 ramitas de alguna hierba fresca

1 En una sartén a fuego lento, derrita la mitad de la mantequilla y añada los champiñones; salpimente. Sofría durante 8 minutos, o hasta que estén dorados, removiendo de vez en cuando al principio y más a menudo cuando empiecen a tomar color. Aparte la sartén del fuego.

2 Derrita el resto de la mantequilla en una cazuela, a fuego suave, y sofría la cebolla y el chalote hasta que se ablanden. Añada la harina, sofría 2 minutos e incorpore el vino y el caldo.

3 Reserve una cuarta parte de los champiñones y ponga el resto en la cazuela. Tápela y cuézalo a fuego lento durante 20 minutos, removiendo de vez en cuando.

4 Deje enfriar la sopa y tritúrela en dos o más tandas en una batidora hasta obtener una crema lisa (si utiliza un robot de cocina, cuele el líquido de cocción y resérvelo; triture los ingredientes sólidos sólo con líquido de cocción suficiente para humedecerlos y después incorpore el resto).

5 Vierta la crema en la cazuela, incorpore los champiñones reservados, la nata líquida y el perejil y cuézala durante 5 minutos. Pruébela

y, si es necesario, rectifique la sazón. Si lo desea, añada un poco de zumo de limón. Reparta la sopa entre 4 boles y, en el momento de servir, decórelos con nata ácida y con ramitas de hierbas aromáticas.

crema de chirivía con jengibre

para 6 personas

2 cucharadas de aceite de oliva

1 cebolla grande picada

1 puerro grande cortado en rodajas

800 g de chirivías en rodajas

2 zanahorias en rodajas finas

4 cucharadas de jengibre rallado

2-3 dientes de ajo picados

la ralladura de ½ naranja

1,4 litros de agua

225 ml de zumo de naranja

sal y pimienta

PARA DECORAR

cebollino cortado en trozos

ralladura de naranja

VARIACIÓN

Puede preparar esta crema con cantidades iguales de zanahorias y chirivías (450 g de cada).

1 Caliente el aceite en una cazuela grande a fuego medio y sofría la cebolla y el puerro durante 5 minutos o hasta que se ablanden.

2 Añada la chirivía, la zanahoria, el jengibre, el ajo, la ralladura de naranja, el agua y una pizca de sal. Reduzca la temperatura, tape la cazuela y, removiendo de vez en cuando, cuézalo durante 40 minutos o hasta que los vegetales se hayan ablandado.

3 Aparte la cazuela del fuego y, cuando la sopa se haya enfriado un poco, triture las hortalizas en una batidora, en tandas, hasta obtener un puré suave.

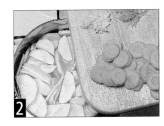

4 Ponga el puré en la cazuela e incorpore el zumo de naranja. Añada un poco de agua, o más zumo de naranja si lo prefiere. Salpimente.

5 Caliente la crema a fuego muy lento durante 10 minutos, y después repártala entre 4 boles precalentados. Adórnelos con cebollino cortado en trozos y con ralladura de naranja y sirva inmediatamente.

sopa de cebolla espesa

para 4 personas

75 g de mantequilla

500 g de cebollas picadas

1 diente de ajo chafado

40 g de harina

600 ml de caldo vegetal

600 ml de leche

2-3 cucharaditas de zumo de limón
o de lima

un buen pellizco de pimienta de
Jamaica molida

1 hoja de laurel

1 zanahoria rallada gruesa

4-6 cucharadas de nata espesa

2 cucharadas de perejil picado

sal y pimienta

BOLLOS DE QUESO

225 g de harina integral

2 cucharaditas de levadura en polvo

55 g de mantequilla troceada

4 cucharadas de queso parmesano
recién rallado

1 huevo batido

5-6 cucharadas de leche

1 Derrita la mantequilla en una cazuela a fuego lento y sofría la cebolla y el ajo durante 10-15 minutos o hasta que se ablanden, pero sin dorarse. Añada la harina y sofríala 1 minuto, sin dejar de remover; después incorpore el caldo poco a poco y llévelo a ebullición, a fuego medio. Agregue la leche y deje que vuelva a hervir.

2 Salpimente al gusto y añada 2 cucharaditas de zumo de limón, la pimienta de Jamaica y el laurel. Baje el fuego, tape el recipiente y cuézalo hasta que todas las hortalizas estén tiernas. Deseche el laurel.

3 Para hacer los bollos, mezcle en un cuenco la harina, la levadura, sal y pimienta. Incorpore la mantequilla y trabaje con los dedos hasta obtener una textura de pan rallado. Añada 3 cucharadas de parmesano, el huevo y la leche necesaria para obtener una pasta consistente, pero suave.

4 Forme con ella una barra de 2 cm de grosor. Póngala en una bandeja para el horno enharinada y marque rebanadas. Esparza el resto del queso y cuézala en el horno precalentado a 200 ºC unos 20 minutos, o hasta que haya subido y esté dorada.

5 Incorpore la zanahoria a la sopa y cuézala 2-3 minutos más. Añada zumo de limón si lo desea y la nata y caliéntela bien. Adórnela con el perejil y sírvala con los bollos calientes.

sopa del hortelano

para 6 personas

40 g de mantequilla

1 cebolla picada

1-2 dientes de ajo chafados

1 puerro grande

225 g de coles de Bruselas

125 g de judías verdes

1,2 litros de caldo vegetal

125 g de guisantes congelados

1 cucharada de zumo de limón

½ cucharadita de cilantro molido

4 cucharadas de nata espesa

sal y pimienta

TOSTADAS MELBA

4-6 rebanadas de pan blanco

1 Derrita la mantequilla en una cazuela a fuego lento y sofría el ajo durante 2-3 minutos o hasta que empiece a ablandarse, pero sin que llegue a tomar color.

2 Corte la parte blanca del puerro en rodajas muy finas y resérvelas. Corte también en rodajas el resto del puerro y las coles de Bruselas, y en trocitos muy menudos las judías verdes.

3 Ponga en la cazuela la parte verde de los puerros, las coles de Bruselas y las judías verdes. A continuación, añada el caldo y llévelo todo a ebullición a fuego medio; después, reduzca la temperatura y cuézalo a fuego lento durante unos 10 minutos.

4 Añada los guisantes y luego salpimente. Agregue el zumo de limón y el cilantro molido. Prolongue la cocción durante unos 10-15 minutos o hasta que las verduras estén bien tiernas.

5 Cuando la sopa se haya enfriado un poco, viértala en un robot de cocina o en el vaso de una batidora y tritúrela hasta obtener una crema. Si lo prefiere, pase las verduras por un colador, oprimiendo con el dorso de una cuchara. Vierta la crema en una cazuela limpia.

6 Añada las rodajas de puerro reservadas, lleve la sopa a ebullición y cuézala unos 5 minutos o hasta que el puerro esté tierno. Rectifique la sazón, incorpore la nata y caliéntela bien.

7 Para hacer las tostadas Melba, tueste el pan por ambas caras bajo el grill precalentado. Con un cuchillo afilado y sujetándolas planas

con la palma de la mano, corte las rebanadas por la mitad horizontalmente y tueste la cara no tostada hasta que las finas rebanaditas se abarquillen. Sírvalas de inmediato, para acompañar la sopa.

sopa cremosa de habas y cebolla

para 5-6 personas

1 cucharada de mantequilla

1 cucharadita de aceite

2 cebollas grandes picadas

1 puerro cortado en rodajas finas

1 diente de ajo chafado

1,2 litros de agua

75 g de arroz

1 hoja de laurel

½ cucharadita de romero fresco picado

½ cucharadita de hojas de tomillo fresco

350 g de habas, a temperatura ambiente si son congeladas

100 g de beicon magro picado

350 ml de leche

nuez moscada recién rallada

sal y pimienta

ramitas de hierbas aromáticas frescas

1 En un cazo grande, caliente la mantequilla y el aceite a fuego suave. Añada la cebolla, el puerro y el ajo y salpimente al gusto. Rehogue durante 10-15 minutos, hasta que la cebolla se ablande, removiendo.

2 Añada el agua, el arroz, las hierbas y una pizca de sal. Llévelo a ebullición a fuego medio, reduzca la temperatura y cuézalo a fuego lento, tapado, durante 15 minutos.

3 Incorpore las habas, vuelva a taparlo y siga cociéndolo durante 15 minutos más o hasta que las verduras estén tiernas.

4 Saque la hoja de laurel y deséchela. Cuando la sopa se haya enfriado un poco, viértala en un robot de cocina o una batidora y tritúrela hasta obtener un puré suave (si es necesario, hágalo en tandas). Si lo hace en un robot de cocina, cuele el líquido de cocción y resérvelo. Triture los ingredientes sólidos con sólo el caldo suficiente para humedecerlos y después incorpore el resto.

5 En una bandeja para el horno horno, ase el beicon bajo el grill precalentado. Dele vueltas un par de veces para que se dore por igual. Escúrralo sobre papel de cocina.

6 Vierta de nuevo la sopa en el cazo e incorpore la leche (añada poca si prefiere una consistencia más clara). Pruébela y rectifique la sazón si es necesario; después, añada nuez moscada rallada. Deje cocer la sopa a fuego lento durante 10 minutos. Sírvala en boles precalentados, con los trocitos de beicon esparcidos por la superficie y adornada con ramitas de hierbas aromáticas frescas.

sopa de pollo con pasta

para 6 personas

350 g de pechuga de pollo sin hueso

2 cucharadas de aceite de girasol

1 cebolla mediana en daditos

250 g de zanahorias en daditos

250 g de ramitos de coliflor

850 ml de caldo de pollo

2 cucharaditas de hierbas secas
   variadas

125 g de pasta de sopa

sal y pimienta

queso parmesano recién rallado
   (opcional)

VARIACIÓN

Si lo prefiere, puede utilizar ramitos de brécol en lugar de coliflor, y sustituir las hierbas secas por 2 cucharadas de hierbas frescas variadas picadas.

1 Deseche la piel de la pechuga de pollo y, con un cuchillo afilado, corte la carne en trocitos.

2 En una sartén grande de base gruesa, caliente el aceite a fuego medio y saltee el pollo junto con la cebolla, la zanahoria y los ramitos de coliflor hasta que adquieran un poco de color.

3 Incorpore el caldo y las hierbas. Llévelo a ebullición y añada la pasta. Cuando vuelva a hervir, tape el recipiente y cueza la sopa a fuego lento durante 10 minutos, removiendo de vez en cuando.

4 Salpimente al gusto. Esparza por encima de la sopa el parmesano rallado (si lo desea) y sírvala.

sopa de pollo y puerro

para 6 personas

350 g de pechuga de pollo
   deshuesada

350 g de puerros

25 g de mantequilla

1,2 litros de caldo de pollo

1 ramillete de hierbas

8 ciruelas deshuesadas

arroz hervido y daditos de pimiento
   (opcional)

sal y pimienta blanca

VARIACIÓN

Puede sustituir el ramillete
seco por un manojo de
hierbas surtidas frescas
atado con un cordel.
Elija, por ejemplo, perejil,
tomillo y romero.

1 Con un cuchillo afilado, corte el pollo y los puerros en trozos de 2,5 cm.

2 En una cazuela grande, derrita la mantequilla a fuego medio. Saltee el pollo y el puerro durante 8 minutos, removiendo de vez en cuando.

3 Incorpore el caldo y el ramillete de hierbas. Salpimente al gusto.

4 Lleve la sopa a ebullición, reduzca la temperatura y deje que cueza suavemente durante 45 minutos.

5 Añada las ciruelas deshuesadas y, si lo desea, un poco de arroz hervido y daditos de pimiento; prolongue la cocción 20 minutos más. Extraiga el ramillete de hierbas y deséchelo. Sirva la sopa en una sopera o en boles precalentados.

sopa de patata y carne de buey

para 4 personas

1 cucharada de aceite vegetal

225 g de bistec de buey en tiras

225 g de patatas nuevas partidas
   por la mitad

1 zanahoria cortada en daditos

2 tallos de apio cortados en rodajas

2 puerros cortados en rodajas

850 ml de caldo de buey

8 mazorquitas cortadas en rodajas

1 ramillete de hierbas

2 cucharadas de jerez seco

sal y pimienta

perejil fresco picado, para decorar

pan crujiente, para acompañar

SUGERENCIA

Prepare doble cantidad de sopa
y congele la que le quede en un
recipiente rígido. También puede
prepararla con antelación,
guardarla en la nevera y
calentarla antes de servirla.

1 En una cazuela grande, caliente el aceite a fuego medio. Fría las tiras de bistec durante unos 3 minutos, dándoles la vuelta continuamente.

2 Añada la patata, la zanahoria, el apio y el puerro. Sofríalo todo durante 5 minutos, removiendo constantemente.

3 Vierta el caldo y llévelo a ebullición a fuego medio. Reduzca la temperatura hasta que el líquido hierva suavemente. Añada luego las mazorquitas y el ramillete de hierbas.

4 Prolongue la cocción durante unos 20 minutos más, hasta que la carne y todas las verduras estén tiernas.

5 Saque de la cazuela el ramillete de hierbas y deséchelo. Incorpore el jerez a la sopa y salpiméntela.

6 Reparta la sopa entre 4 boles precalentados y decórela con perejil fresco picado. Sírvala enseguida, acompañada con abundante pan crujiente.

sopa de cordero y arroz

para 4 personas

150 g de carne de cordero sin grasa

50 g de arroz

850 ml de caldo de cordero

1 diente de ajo cortado en rodajitas

2 cucharaditas de salsa de soja clara

1 cucharadita de vinagre de vino de
   arroz

la cabeza de 1 champiñón grande,
   cortada en láminas

perejil fresco picado, para decorar

pan crujiente, para acompañar

1 Con un cuchillo afilado, acabe de limpiar de grasa la carne y córtela en tiras finas. Resérvela.

2 En una cazuela grande, lleve a ebullición agua con sal. Añada el arroz, remueva y cuézalo a fuego lento durante 15-20 minutos o hasta que esté en su punto. Escúrralo, aclárelo y vuelva a escurrirlo. Resérvelo.

3 Mientras tanto, vierta el caldo en una cazuela y llévelo a ebullición a fuego medio.

4 Incorpore las tiras de carne, el puerro, el ajo, la salsa de soja y el vinagre. Reduzca la temperatura, tape el recipiente y cuézalo suavemente, durante 10 minutos o hasta que el cordero esté totalmente cocido.

5 Añada las láminas de champiñón y el arroz hervido y prolongue la cocción 2-3 minutos o hasta que el champiñón esté tierno y la sopa, muy caliente.

6 Repártala entre 4 boles precalentados y adórnela con perejil fresco picado. Sírvala en el acto, con pan crujiente en abundancia.

sopa de beicon, alubias y ajo

para 4 personas

225 g de lonchas de beicon
    ahumado magro
1 zanahoria cortada en rodajas finas
1 tallo de apio cortado en rodajas
    finas
1 cebolla picada
1 cucharada de aceite
3 dientes de ajo cortados en rodajitas
700 ml de caldo vegetal caliente
200 g de tomates de lata
1 cucharada de tomillo fresco picado
400 g de alubias blancas escurridas
1 cucharada de pasta de tomate
sal y pimienta
queso cheddar recién rallado, para
    decorar

1 Pique 2 lonchas de beicon y póngalo en un bol. Déjelo en el microondas a potencia alta durante 3-4 minutos, hasta que desprenda la grasa y esté hecho. Remueva a mitad del tiempo de cocción para separar los trocitos. Ponga el beicon en un plato forrado con papel de cocina y deje que se enfríe. Los trocitos deben quedar sin grasa y quebradizos.

2 Ponga la zanahoria, el apio, la cebolla y el aceite en un cuenco grande. Tápelo y cuézalo 4 minutos a potencia alta.

3 Pique el resto del beicon y añádalo al bol junto con el ajo. Tápelo y cuézalo 2 minutos más.

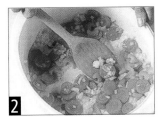

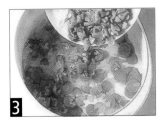

4 Añada el caldo, el tomate picado, el tomillo, las alubias y el puré de tomate. Tape y deje cuézalo durante otros 8 minutos a la misma potencia; remueva a los 4 minutos. Salpimente al gusto. Reparta la sopa entre 4 boles precalentados y esparza por encima el beicon crujiente y el queso cheddar rallado. Sírvala inmediatamente.

sopa de buey de mar y jengibre

para 4 personas

1 zanahoria picada

1 puerro picado

1 hoja de laurel

850 ml de caldo de pescado

2 bueyes de mar medianos cocidos

un trozo de jengibre fresco de
2,5 cm, rallado

1 cucharadita de salsa de soja clara

½ cucharadita de anís estrellado
molido

SUGERENCIA

Para preparar el buey de mar
cocido, desprenda la carne del
caparazón golpeando con el puño,
por detrás, la parte inferior del
mismo. Ponga el cangrejo de canto,
con el caparazón hacia usted.
Fuerce la parte del cuerpo con los
pulgares. Retuerza las patas y las
pinzas y extraiga la carne. Deseche
la cola. Saque y deseche las
branquias de ambos lados del
cuerpo y córtelo por la mitad a lo
largo del centro; extraiga la carne.
Aproveche también la carne marrón
del interior de la concha.

1 Ponga la zanahoria, el puerro, la
hoja de laurel y el caldo en una
cazuela, llévelo a ebullición a fuego
medio y después tape la cazuela y
cuézalo durante 10 minutos o hasta
que los vegetales estén casi tiernos.

2 Mientras tanto, prepare los
bueyes de mar. Desprenda las
pinzas, rompa las articulaciones y
extraiga la carne (deberá ayudarse con
un tenedor o con una brocheta). Añada
la carne al contenido de la cazuela.

3 Agregue al caldo el jengibre, la
salsa de soja y el anís estrellado
y llévelo a ebullición a fuego medio.
Reduzca la temperatura y prolongue la
cocción unos 10 minutos o hasta que
las verduras estén tiernas y la carne de
cangrejo, caliente. Salpimente al gusto.

4 Reparta la sopa entre 4 boles
precalentados y decórelos con las
pinzas. Sírvalos inmediatamente.

VARIACIÓN

Prepare la sopa con carne de
cangrejo de lata (escurrida) o
congelada (a temperatura ambiente).

sopa de pollo y huevo

para 4 personas

1 cucharadita de sal

1 cucharada de vinagre de arroz

4 huevos

850 ml de caldo de pollo

1 puerro cortado en rodajas

125 g de ramitos de brécol

125 g de pollo cocido cortado en tiras

2 cabezas grandes de champiñón
cortadas en láminas

1 cucharada de jerez seco

salsa de guindilla al gusto

guindilla molida para espolvorear

VARIACIÓN

En lugar de las cabezas de champiñón puede usar 4 setas chinas secas. Remójelas dejándolas cubiertas con agua casi a punto de hervir durante 20 minutos.

lentamente y casque los huevos sobre el agua, de uno en uno. Escálfelos durante 1 minuto.

3 Sáquelos con una espumadera y resérvelos.

4 En otra cazuela, ponga a hervir el caldo. Añada el puerro, el brécol, el pollo, las láminas de champiñón y el jerez. Sazone al gusto con salsa de guindilla y cuézalo a fuego lento durante 10-15 minutos.

1 En una cazuela, lleve a ebullición abundante agua. Añada la sal y el vinagre de vino de arroz.

2 Reduzca la temperatura para que la cocción prosiga muy

5 Incorpore en la sopa los huevos escalfados y prolongue la cocción 2 minutos. Repártala entre 4 boles y ponga un huevo escalfado en cada uno. Espolvoree con un poco de guindilla en polvo y sirva de inmediato.

sopa de gambas

para 4 personas

2 cucharadas de aceite de girasol

2 cebolletas cortadas en rodajas
   diagonales finas

1 zanahoria rallada gruesa

125 g de champiñones, muy frescos
   y cerrados, cortados en láminas

1 litro de caldo de pescado o vegetal

½ cucharadita de mezcla china de
   5 especias

1 cucharada de salsa de soja clara

125 g de gambas grades, crudas y
   peladas (a temperatura ambiente
   si son congeladas)

½ manojo de berros, limpios
   y troceados

1 huevo bien batido

sal y pimienta

4 gambas grandes sin pelar (opcional)

1 Caliente un wok grande a fuego
   medio, añada el aceite y, girando
el wok, distribúyalo por toda base.
Saltee la cebolleta durante 1 minuto;
a continuación, agregue la zanahoria
y las láminas de champiñón y siga
salteando 2 minutos.

2 Incorpore el caldo y llévelo a
   ebullición. Añada la mezcla de
especias y la salsa de soja; salpimente.
Reduzca la temperatura y cuézalo a
fuego lento durante 5 minutos.

3 Si las gambas son muy grandes,
   córtelas por la mitad antes de
incorporarlas en la sopa; hiérvalas
durante 3-4 minutos.

4 Añada los berros y mezcle; poco a
   poco, con un movimiento circular,
vierta el huevo batido, de modo que
se formen hebras. Rectifique la sazón.
Reparta la sopa entre 4 boles. Si lo
desea, decore cada uno de ellos con
una gamba entera sin pelar y sírvalos.

partan bree

para 6 personas

1 buey de mar mediano hervido

85 g de arroz de grano largo

600 ml de leche desnatada

600 ml de caldo de pescado

1 cucharada de extracto de anchoa

2 cucharaditas de zumo de lima o
    de limón

1 cucharada de perejil o 1 cucharadita
    de tomillo fresco picados

4 cucharadas de nata ácida (opcional)

cebollino fresco picado, para decorar

1 Con un cuchillo bien afilado, extraiga toda la carne, tanto la marrón como la blanca, del cuerpo del buey de mar y resérvela. Rompa las pinzas, saque la carne y píquela gruesa.

2 Ponga el arroz y la leche en una cazuela y llévelo a ebullición a fuego medio. Tape el recipiente y cuézalo suavemente unos 20 minutos.

3 Añada la carne del cuerpo del cangrejo y salpimente. Prolongue la cocción 5 minutos más.

4 Cuando esté tibia, vierta la sopa en un robot de cocina o una batidora y tritúrela hasta obtener un puré fino.

5 Viértalo en una cazuela limpia y añada el caldo y la carne de las pinzas. Llévelo lentamente a ebullición y añada el extracto de anchoa y el zumo de lima. Rectifique la sazón.

6 Cuézalo 2-3 minutos y añada el perejil. Reparta la crema entre 6 boles y adorne la superficie con nata ácida. Decore con cebollino y sirva.

sopa de bacalao ahumado

para 4 personas

225 g de filete de bacalao ahumado

1 cebolla picada

1 diente de ajo chafado

600 ml de agua

600 ml de leche descremada

225-350 g de patata chafada caliente

2 cucharadas de mantequilla

1 cucharada de zumo de limón

6 cucharadas de queso fresco bajo
   en grasa

4 cucharadas de perejil fresco picado

sal y pimienta

1 Ponga el pescado, la cebolla, el ajo y el agua en una cazuela grande. Llévelo a ebullición, tápelo y cuézalo suavemente, a fuego lento, durante 15-20 minutos.

2 Saque el pescado de la cazuela. Elimine la piel y las espinas, pero resérvelas. Desmenuce la carne con un tenedor.

3 Ponga la piel y las espinas en el líquido de cocción y deje que hiervan durante 10 minutos. Cuele el caldo sobre una cazuela limpia y deseche la piel y las espinas.

4 Vierta la leche en el caldo, añada el pescado desmenuzado y salpimente al gusto. Llévelo a ebullición y cuézalo unos 3 minutos.

5 Incorpore poco a poco patata chafada, hasta obtener una sopa más bien espesa; después, añada la mantequilla y el zumo de limón.

6 Añada el queso fresco y 3 cucharadas de perejil picado. Caliéntelo a fuego lento y rectifique la sazón si es necesario. Reparta la sopa entre 4 boles precalentados, espolvoree con el resto de perejil y sírvala de inmediato.

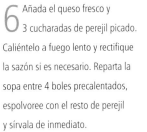

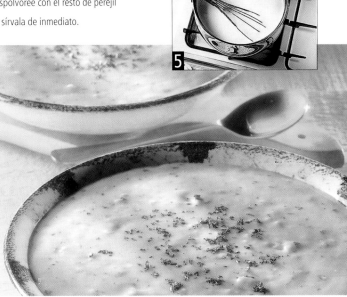

sopa de pollo y maíz al curry

para 4 personas

175 g de maíz dulce de lata, escurrido

850 ml de caldo de pollo

350 g de pollo cocido, sin piel ni
grasa y cortado en tiras

16 mazorquitas en conserva

1 cucharadita de curry chino en polvo

un trozo de 1 cm de jengibre fresco
rallado

3 cucharadas de salsa de soja clara

2 cucharadas de cebollino fresco
troceado

SUGERENCIA

Puede preparar esta sopa
con 24 horas de antelación
sin añadir el pollo. Déjela
enfriar, tápela y guárdela en
el frigorífico. Cuando vaya a
servirla, añada el pollo y
caliéntela bien.

1 Ponga el maíz dulce en una
batidora o un robot de cocina con
150 ml de caldo de pollo y bata hasta
obtener un puré fino.

2 Pase el puré de maíz por un
colador de malla fino, oprimiendo
suavemente con el dorso de una
cuchara para separar las pieles.

3 Vierta el caldo restante en una
cazuela grande y añada las tiras
de pollo. Incorpore el puré de maíz y
mezcle bien.

4 Agregue las mazorquitas y lleve la
sopa a ebullición. Cuézala a fuego
medio durante 10 minutos.

5 Añada el curry chino en polvo, el
jengibre rallado y la salsa de soja
clara y remueva. Prolongue la cocción
unos 10-15 minutos.

6 Esparza el cebollino por encima
de la sopa y repártala entre
4 boles precalentados. Sírvala
inmediatamente.

crema de aguacate y menta

para 6 personas

40 g de mantequilla o margarina

6 cebolletas tiernas en rodajas

1 diente de ajo chafado

25 g de harina

600 ml de caldo vegetal

2 aguacates maduros

2-3 cucharaditas de zumo de limón

una pizca de ralladura de limón

150 ml de leche

150 ml de nata líquida

1-1½ cucharaditas de menta picada

sal y pimienta

6 ramitas de menta, para decorar

PAN AL AJO Y A LA MENTA

125 g de mantequilla

1-2 cucharadas de menta picada

1-2 dientes de ajo chafados

1 barra de pan crujiente, blanco
  o integral

1 En una cazuela, derrita la mantequilla o la margarina a fuego lento. Sofría la cebolleta y el ajo, removiendo de vez en cuando, durante 3 minutos o hasta que estén blandos y translúcidos.

2 Incorpore la harina y sofríala durante 1-2 minutos, removiendo.

Incorpore el caldo poco a poco y después llévelo a ebullición a fuego medio. Déjelo cocer suavemente mientras prepara los aguacates.

3 Pele los aguacates y córtelos en trozos después de quitar el hueso. Incorpórelos en la sopa, junto con el zumo y la ralladura de limón. Salpimente al gusto. Tape y prolongue la cocción 10 minutos, hasta que la cebolleta y el aguacate queden tiernos.

4 Deje que la sopa se enfríe un poco y viértala en un robot de cocina. Bata hasta obtener un puré fino. También, puede colarla a través de un colador fino, oprimiendo los

ingredientes sólidos con el dorso de una cuchara. Vuelque la crema obtenida en un cuenco.

5 A continuación, incorpore la leche, la nata, sal y pimienta; después, añada la menta. Tape el bol y deje que la crema se enfríe por completo.

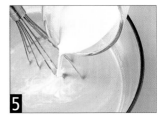

6 Para preparar el pan, ablande la mantequilla y mézclela con la menta y el ajo. Corte el pan en rebanadas al bies, omitiendo la corteza inferior para que no se separen. Unte cada rebanada con la mantequilla preparada y recomponga la barra. Envuélvala en papel de aluminio y caliéntela en el horno precalentado a 180 ºC durante unos 15 minutos.

7 Reparta la sopa entre 6 boles y decórela con ramitas de menta. Sírvala acompañada con el pan al ajo y a la menta.

Entrantes y tentempiés

Todas estas recetas son muy apetitosas y fáciles de preparar. De atractivo colorido y rebosantes de aroma, proporcionan un excelente entrante para una cena especial, pero también pueden constituir apetecibles tentempiés. Según el plato principal que vaya a preparar, abra el apetito de sus invitados con un puré picante de berenjena para untar unos deliciosos bastoncitos de hortalizas, unas tortillas chinas o un paté. Otras sabrosas preparaciones aportarán interesantes colores y texturas, y todas se pueden preparar en muy poco tiempo. Estas recetas, rápidas y fáciles, por un lado calmarán las punzadas del hambre y por otro satisfarán al paladar más exigente. Asimismo, le permitirán iniciar sus comidas con un entrante original y siempre adecuado.

puré de alubias y menta

para 6 personas

175 g de alubias blancas

1 diente de ajo pequeño, chafado

1 manojo de cebolletas troceadas

1 puñado de hojas de menta fresca

2 cucharadas de tahín

2 cucharadas de aceite de oliva

1 cucharadita de comino molido

1 cucharadita de cilantro molido

2-3 cucharadas de zumo de limón

sal y pimienta

ramitas de menta fresca para adornar

PARA ACOMPAÑAR

verduras crudas, por ejemplo

    ramitos de coliflor, y zanahoria,

    pepino, rábanos y pimientos de

    varios colores cortados en tiras

1 Ponga las alubias en un bol y cúbralas con agua fría. Déjelas en remojo una noche, o al menos 4 horas.

2 Escurra las alubias y aclárelas bajo el chorro de agua fría. Póngalas en una cazuela y cúbralas con agua. Lévelas a ebullición a fuego fuerte y deje que hiervan así 10 minutos. Reduzca la temperatura, tape la cazuela y cuézalas a fuego lento 1-1$^1/_2$ horas o hasta que estén tiernas.

3 Escurra las alubias y páselas a un robot o un bol. Añada el ajo, la cebolleta, la menta, el tahín y el aceite y triture durante 15 segundos. Si lo prefiere, chafe los ingredientes con un pasapurés hasta obtener un puré fino.

4 Páselo a un bol y añada las especias y el zumo de limón necesario para darle una consistencia suave. Salpimente al gusto. Mezcle bien, tápelo con plástico de cocina y déjelo al fresco, pero no en la nevera, 30 minutos, para que todos los aromas se desarrollen.

5 Ponga el puré en boles pequeños y decórelo con ramitas de menta fresca. Coloque los boles sobre platos de servicio grandes y rodéelos con las verduritas crudas preparadas. Sírvalo a temperatura ambiente.

tzatziki y crema de aceitunas negras

para 4 personas

½ pepino

225 g de yogur griego natural

1 cucharada de menta fresca picada

sal y pimienta

4 **panes tipo** *pita*

CREMA DE ACEITUNAS NEGRAS

2 dientes de ajo chafados

125 g de aceitunas negras sin hueso

4 cucharadas de aceite de oliva

2 cucharadas de zumo de limón

1 cucharada de perejil fresco picado

PARA DECORAR

1 ramita de menta fresca

1 ramita de perejil fresco

1 Para hacer el *tzatziki*, pele el pepino y trocéelo. Esparza sal por encima y déjelo reposar unos 15-20 minutos. Aclárelo bajo el chorro de agua fría y escúrralo bien.

2 Mezcle el pepino con el yogur. Salpimente al gusto y póngalo en un bol. Tápelo y déjelo en el frigorífico durante 20-30 minutos.

3 Para hacer la crema de aceitunas, ponga el ajo chafado y las aceitunas en un robot o una batidora y bátalo durante 15-20 segundos. Si lo prefiere, pique muy menudos ambos ingredientes.

4 Añada el aceite, el zumo de limón y el perejil picado y triture unos segundos más, o bien mézclelos con el ajo y las aceitunas y cháfelo todo junto. Salpimente.

5 Envuelva las *pitas* en papel de aluminio y tuéstelas en la barbacoa caliente durante 2-3 minutos, dándoles una vez la vuelta, o bien en el horno precalentado, bajo el grill. Córtelas en trozos y sírvalas con el *tzatziki* y el puré de aceitunas negras para mojar. Decore con ramitas de menta y de perejil.

hortalizas crudas con puré de berenjena

para 4 personas

1 berenjena pelada y cortada en
    dados de 2,5 cm

3 cucharadas de semillas de
    sésamo, tostadas en una sartén
    a fuego lento sin añadir grasa

1 cucharadita de aceite de sésamo

la ralladura y el zumo de ½ lima

1 chalote pequeño cortado en daditos

1 cucharadita de azúcar

1 guindilla roja fresca, despepitada
    y cortada en rodajitas

115 g de ramitos de brécol

2 zanahorias cortadas en bastoncitos

8 mazorquitas cortadas a lo largo

2 tallos de apio, en bastoncitos

1 col lombarda **pequeña** cortada
    en 8 gajos (las hojas quedarán
    unidas por el troncho central)

sal y pimienta

VARIACIÓN

Puede variar la selección de
hortalizas a su gusto, o según de
lo que disponga. Otras verduras
apropiadas podrían ser ramitos
de coliflor y bastoncitos
de pepino.

1 En una cazuela, lleve agua a
ebullición; cueza la berenjena
a fuego medio durante 7-8 minutos.
Escúrrala y deje que se enfríe un poco.

2 Mientras tanto, triture las semillas
de sésamo junto con el aceite en
un robot, o májelo en un mortero.

3 Incorpore en el recipiente la
berenjena, la ralladura y el zumo
de lima, el chalote, el azúcar y la
guindilla. Salpimente al gusto y triture
hasta obtener un puré liso. Si lo
prefiere, pique los ingredientes y
páselos por un pasapurés.

4 Rectifique la sazón y ponga
el puré en un **bol**.

5 Coloque el bol sobre una fuente
y rodéelo con las hortalizas para
mojar: el brécol, la zanahoria, las
mazorquitas, el apio y la col lombarda.

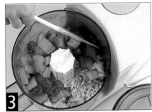

hortalizas crudas con salsa al ajo

para 4 personas

2 cabezas de ajo

6 cucharadas de aceite de oliva

1 cebolla pequeña picada

2 cucharadas de zumo de limón

3 cucharadas de tahín

2 cucharadas de perejil picado

sal y pimienta

1 ramita de perejil para decorar

PARA ACOMPAÑAR

verduras frescas crudas cortadas en
  bastoncitos o trozos alargados

1 barra de pan crujiente o *pitas*

VARIACIÓN

Si puede encontrar ajos ahumados, que son deliciosos, prepare esta receta con ellos omitiendo el primer paso. Esta salsa también se puede usar para untar unas hamburguesas vegetarianas.

---

1 Separe los dientes de las cabezas de ajo. Póngalos en una bandeja para el horno y áselos en el horno precalentado a 200 ºC durante unos 8-10 minutos. Déjelos enfriar ligeramente.

2 Cuando ya no quemen, pele los dientes de ajo y después píquelos bien con un cuchillo afilado.

3 Caliente el aceite en una sartén, a fuego lento. Añada el ajo picado y la cebolla y sofría, removiendo de vez en cuando, 8-10 minutos o hasta que estén blandos. Apártelo del fuego.

4 Añada el zumo de limón, el tahín y el perejil picado y salpimente al gusto. Mezcle bien. Ponga la salsa al ajo en un bol resistente al calor y manténgala caliente mientras prepara las verduras.

5 Cuando vaya a servirla, adorne la salsa con una ramita de perejil fresco y rodéela con las verduras y el pan crujiente o las *pitas* calientes.

paté de alubias variadas

para 4 personas

400 g de alubias variadas en
   conserva, escurridas
2 cucharadas de aceite de oliva
el zumo de 1 limón
2 dientes de ajo chafados
1 cucharada de cilantro fresco
   picado
2 cebolletas picadas
sal y pimienta
cebolleta cortada en tiras

1 Aclare las alubias variadas bajo
el chorro de agua fría y escúrralas
muy bien.

2 En una batidora, tritúrelas hasta
obtener un puré fino. También
puede chafarlas con un tenedor o
pasarlas por el pasapurés.

3 Añada el aceite, el zumo de
limón, el ajo, el cilantro y la
cebolleta picada. Mezcle bien, hasta
obtener una consistencia bastante fina,
y salpimente a su gusto.

4 Pase el paté a un bol de servicio,
cúbralo y resérvelo en la nevera
durante 30 minutos, como mínimo.

5 Antes de servirlo, decórelo con
tiras de cebolleta.

paté de lentejas

para 4 personas

1 cucharada de aceite vegetal y un
poco más para untar el molde

1 cebolla picada

2 dientes de ajo chafados

1 cucharadita de *garam masala*

½ cucharadita de cilantro molido

850 ml de caldo vegetal

175 g de lentejas rojas

1 huevo pequeño

2 cucharadas de leche

1 cucharada de *chutney* de mango

2 cucharadas de perejil fresco picado

ramitas de perejil fresco para decorar

PARA ACOMPAÑAR

ensalada

tostadas calientes

VARIACIÓN

Use otras especias, por ejemplo
guindilla molida o mezcla china
de cinco especias, y, si lo prefiere,
añada concentrado de tomate o
salsa de guindilla en lugar del
chutney de mango.

1 Caliente el aceite a fuego medio
en una cazuela grande y saltee la
cebolla y el ajo 2-3 minutos, removiendo.
Añada las especias y saltee 30 segundos
más. Incorpore el caldo y las lentejas y
llévelo a ebullición. Cuézalo a fuego
lento 20 minutos, o hasta que las
lentejas estén hechas. Aparte la cazuela
del fuego y escurra el exceso de caldo,
si lo hubiera.

2 Pase el guiso a un robot y añada
el huevo, la leche, el *chutney* de
mango y el perejil picado. Tritúrelo hasta
obtener una pasta lisa.

3 Engrase y forre la base de un
molde para pan inglés de 450 g.
Ponga la pasta en el molde y alise la
superficie. Cúbrala y cueza el paté en
el horno precalentado a 200 °C durante
40-45 minutos, hasta que esté firme.

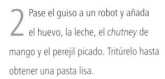

4 Deje que el paté se enfríe en el
molde al menos 20 minutos;
después métalo en la nevera. Vuélquelo
sobre una fuente, adórnelo con ramitas
de perejil fresco y sírvalo en rebanadas
con una ensalada y tostadas calientes.

paté de patata y pescado ahumado

para 4 personas

650 g de patatas harinosas, peladas
y cortadas en dados

300 g de caballa ahumada, pelada
y desmenuzada

75 g de grosellas cocidas

2 cucharaditas de zumo de limón

2 cucharadas de nata líquida baja
en grasa

1 cucharada de alcaparras

1 pepinillo picado

1 cucharada de pepino encurtido

l eneldo, picado

1 cucharada de eneldo fresco picado

sal y pimienta

gajos de limón para decorar

VARIACIÓN

Use grosellas cocidas en
conserva, en lata o en tarro,
para su comodidad y para
ahorrar tiempo, o cuando no es
temporada de grosellas frescas.

1 En una cazuela, lleve agua a
ebullición a fuego medio. Añada
las patatas y cuézala 10 minutos o
hasta que estén tiernas; escúrralas.

2 Ponga las patatas cocidas en un
robot o una batidora. Agregue
la caballa, sin piel y desmenuzada, y
tritúrelo durante 30 segundos, hasta
obtener una mezcla suave. Si lo
prefiere, ponga los ingredientes en un
bol grande y cháfelos con un tenedor.

3 Añada las grosellas, el zumo de
limón y la nata. Triture durante
10 segundos más o cháfelo bien con
el tenedor.

4 Incorpore en el puré las
alcaparras, el pepinillo, el pepino
encurtido al eneldo y el eneldo fresco.
Salpimente.

5 Pase el paté a una fuente de
servicio y adórnelo con gajos de
limón. Llévelo a la mesa y sírvalo con

rebanadas de pan tostado o con pan
crujiente caliente, cortado en trozos
o en rebanadas.

paté de nueces, huevo y queso

para 2 personas

1 tallo de apio

1-2 cebolletas

25 g de nueces peladas

1 cucharada de perejil fresco picado

1 cucharadita de eneldo fresco
picado o ½ de eneldo seco

1 diente de ajo chafado

un chorrito de salsa Worcestershire

115 g de requesón

55 g de queso azul, por ejemplo
stilton o queso azul danés

1 huevo duro

2 cucharadas de mantequilla

sal y pimienta

hierbas frescas variadas para decorar

galletas saladas, tostadas o pan
crujiente para acompañar

1 Pique el apio muy menudo, corte las cebolletas en rodajas muy finas y pique las nueces. Póngalo todo en un bol.

2 Añada las hierbas picadas, el ajo y salsa Worcestershire al gusto; mezcle bien. Incorpore el requesón y haga una pasta.

3 Ralle finamente el queso azul e incorpórelo en la pasta, así como el huevo duro picado. Salpimente.

4 Derrita la mantequilla en un cacito, a fuego lento, y viértala sobre el paté. Póngalo en una fuente de servicio o en 2 boles individuales. Nivele la superficie, pero no lo oprima en exceso. Enfríelo en el frigorífico hasta que adquiera una consistencia firme.

5 Adorne el paté con hierbas frescas variadas y sírvalo con galletas saladas, tostadas o pan tierno crujiente.

paté de queso, ajo y hierbas

Para 4 personas

15 g de mantequilla

1 diente de ajo chafado

3 cebolletas picadas

125 g de queso tierno con toda
su grasa

2 cucharadas de hierbas frescas
variadas, como perejil, cebollino,
mejorana, orégano y albahaca

175 g de queso cheddar rallado

4-6 rebanadas de pan de molde
blanco, de un grosor medio

pimienta

PARA DECORAR

pimentón molido

1 ramita de perejil fresco

PARA ACOMPAÑAR

ensalada variada

tomates cereza

1 Derrita la mantequilla en una
sartén grande, a fuego lento.
Sofría el ajo y la cebolleta durante
3-4 minutos y deje que se enfríen.

2 Bata el queso en un bol hasta que
esté cremoso; entonces, añada el
ajo y la cebolleta. Incorpore también
las hierbas picadas y mezcle bien.

3 Añada el queso cheddar y mezcle
hasta obtener una pasta fina.
Cubra y guarde el paté en el frigorífico
hasta el momento de servirlo.

4 Tueste las rebanadas de pan por
ambas caras y después elimine la
corteza. Con un cuchillo afilado, corte
las rebanadas horizontalmente para
obtener rebanaditas muy finas. Córtelas
en triángulos y tueste las caras sin
tostar bajo el grill precalentado a
temperatura media.

5 Distribuya las hojas de ensalada y
los tomatitos entre 4 platos. Apile
encima el paté de queso y espolvoree
con un poco de pimentón. Adorne con
una ramita de perejil y sírvalo con el
pan tostado.

tostadas a la florentina

para 4 personas

3 cucharadas de aceite de oliva

1 cebolla picada

1 tallo de apio picado

1 zanahoria picada

1-2 dientes de ajo chafados

125 g de higadillos de pollo

125 g de hígado de ternera, cordero
o cerdo

150 ml de vino tinto

1 cucharada de pasta de tomate

2 cucharadas de perejil fresco
picado

3-4 filetes de anchoa en aceite

2 cucharadas de caldo o de agua

25-40 g de mantequilla

1 cucharada de alcaparras

sal y pimienta

perejil fresco picado para decorar

pan tostado para acompañar

1 En una sartén, caliente el aceite a fuego lento y sofría la cebolla, el apio, la zanahoria y el ajo 4-5 minutos o hasta que la cebolla se ablande.

2 Aclare los higadillos de pollo y enjúguelos con papel de cocina, así como el otro hígado. Córtelos en tiras. Póngalas en la sartén y fríalas unos minutos, hasta que estén bien selladas por todas las caras.

3 Vierta la mitad del vino y rehogue hasta que casi se haya evaporado. Agregue el resto del vino, la pasta de tomate, la mitad del perejil, los filetes de anchoa, el caldo o el agua, un poco de sal y pimienta abundante.

4 Tape la cazuela y, removiendo de vez en cuando, cuézalo a fuego lento durante 15-20 minutos o hasta que el hígado esté tierno y casi todo el líquido haya sido absorbido.

5 Deje que se entibie y después cháfelo todo o tritúrelo en una batidora hasta obtener una pasta.

6 Póngala en la cazuela e incorpore la mantequilla, las alcaparras y el resto del perejil. Caliéntelo suavemente hasta que la mantequilla se derrita. Rectifique la sazón y ponga el paté en un bol. Adórnelo con perejil picado y sírvalo caliente o frío sobre rebanadas de pan tostado.

hommos con tostadas al ajo

para 4 personas

400 g de garbanzos en conserva

el zumo de 1 limón grande

6 cucharadas de tahín

2 cucharadas de aceite de oliva

2 dientes de ajo chafados

sal y pimienta

TOSTADAS AL AJO

1 chapata, cortada en rebanadas

2 dientes de ajo chafados

1 cucharada de cilantro fresco picado

4 cucharadas de aceite de oliva

PARA DECORAR

1 cucharada de cilantro fresco picado

6 aceitunas negras deshuesadas

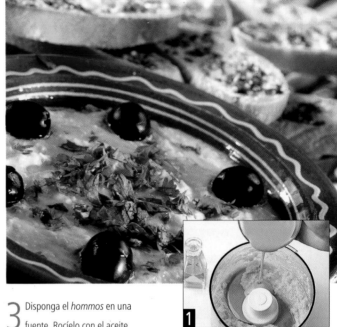

1 Para hacer el *hommos*, escurra los garbanzos, pero reservando 2-3 cucharadas del líquido de la conserva. Póngalos con la mitad de este líquido en el robot o una batidora y tritúrelos, añadiendo poco a poco el resto del líquido y el zumo de limón. Después de cada adición, bata bien. Obtenga así una pasta lisa.

2 Incorpore el tahín y el aceite, excepto 1 cucharadita. Añada el ajo, salpimente y siga triturando un instante más.

3 Disponga el *hommos* en una fuente. Rocíelo con el aceite reservado y guárdelo en la nevera.

4 Para hacer las tostadas, ponga las rebanadas de chapata, en una sola capa, sobre la rejilla del horno.

5 Mezcle el ajo, el cilantro y el aceite y unte las rebanadas. Tuéstelas bajo el grill precalentado a temperatura media unos 2-3 minutos, hasta que se doren, dándoles la vuelta una vez. Decore el *hommos* con cilantro picado y aceitunas. Acompáñelo con las tostadas.

canapés de paté y sésamo

para 4 personas

250 g de carne magra de cerdo

250 g de gambas crudas, peladas
   y sin el hilo intestinal

4 cebolletas, limpias

1 diente de ajo chafado

1 cucharada de cilantro fresco (hojas
   y tallos) picado

1 cucharada de salsa de pescado

1 huevo batido

8-10 rebanadas gruesas de pan de
   molde blanco

3 cucharadas de semillas de sésamo

150 ml de aceite vegetal

sal y pimienta

ramitas de cilantro fresco

½ pimiento rojo cortado en tiras

1 Ponga la carne, las gambas, las
   cebolletas, el ajo, el cilantro, la
salsa de pescado y el huevo en un
robot de cocina. Salpimente y tritúrelo
unos segundos. Pase la mezcla a un
bol. Si lo prefiere, pique con un cuchillo
afilado la carne, las gambas y la
cebolleta, y añada el ajo, el cilantro,
la salsa de pescado y el huevo batido.
Salpimente y haga una pasta.

2 Esparza una capa gruesa de pasta
   sobre las rebanadas de pan,
llegando hasta los bordes. Corte y
elimine la corteza y después corte cada
rebanada en 4 cuadrados o triángulos.

3 Esparza por encima las semillas
   de sésamo.

4 Caliente un wok a fuego medio,
   vierta el aceite, caliéntelo y fría los
canapés, primero con la cara untada
hacia abajo durante 2 minutos o hasta
que el huevo haya cuajado. Dé la
vuelta a los trozos de pan para que se
doren por el otro lado durante 1 minuto
aproximadamente.

5 Saque los canapés del wok y deje
   que se escurran sobre papel de
cocina. Fría el resto. Disponga los
canapés sobre una fuente y sírvalos
adornados con unas ramitas de cilantro
fresco y tiras de pimiento rojo.

bruschetta con tomatitos

para 4 personas

300 g de tomates cereza

4 tomates secados al sol

4 cucharadas de aceite de oliva
virgen extra

16 hojas de albahaca fresca

8 rebanadas de chapata

2 dientes de ajo pelados

VARIACIÓN

Los tomates pera también
pueden emplearse en esta receta.
Córtelos primero por la mitad y
después en gajos. Proceda de
igual modo a partir del paso 3.

SUGERENCIA

La chapata es un pan rústico
italiano con bastante miga y algo
correoso. Resulta excelente en
esta receta, pues absorbe todo
el sabor del ajo y del aceite de
oliva virgen extra.

1 Con un cuchillo afilado, corte los tomates cereza por la mitad.

2 A continuación, corte los tomates secados al sol en tiras.

3 Ponga en un bol los tomates cereza y las tiras de tomate secado al sol. Añada el aceite y las hojas de albahaca y remueva con una cuchara para mezclar bien. Salpimente al gusto.

4 Tueste las rebanadas de pan bajo el grill precalentado a temperatura media. Parta los dientes de ajo en dos.

5 Con el lado cortado hacia abajo, frote con el ajo las dos caras de las rebanadas de chapata tostadas.

6 Ponga las rebanadas en una fuente de servicio o en platos individuales y cúbralas con la ensalada de tomates.

ensalada de pimiento

para 4 personas

1 cebolla

2 pimientos rojos

2 pimientos amarillos

3 cucharadas de aceite de oliva

2 calabacines grandes en rodajas

2 dientes de ajo cortados en láminas

1 cucharada de vinagre balsámico

50 g de filetes de anchoa en aceite,
   escurridos y picados

25 g de aceitunas negras sin hueso,
   partidas por la mitad

sal y pimienta

4 ramitas de albahaca fresca

TOSTADAS CON TOMATE

1 barra de pan pequeña

1 diente de ajo chafado

1 tomate fresco, pelado y picado

2 cucharadas de aceite de oliva

1 Corte la cebolla en gajos. Quite el tallo y las semillas al pimiento y después córtelo en rodajas gruesas.

2 Caliente el aceite a fuego lento, en una sartén grande de base gruesa. Sofría la cebolla, el pimiento, el calabacín y el ajo durante 20 minutos, removiendo de vez en cuando.

3 Añada el vinagre, las anchoas y las aceitunas. Salpimente al gusto. Mezcle y deje que se enfríe.

4 Para preparar las tostadas con tomate, corte la barra de pan en diagonal, en rebanadas de 1 cm.

5 Mezcle el ajo, el tomate y el aceite. Salpimente y espárzalo sobre las rebanadas de pan.

6 Ponga el pan en una bandeja de horno, rocíelo, si lo desea, con un poco de aceite y tuéstelo 5-10 minutos en el horno precalentado a 220 ºC, hasta que esté en su punto. Distribuya la ensalada entre 4 platos, decórela con albahaca y sírvala con las costadas.

chalotes a la griega

para 4 personas

450 g de chalotes

3 cucharadas de aceite de oliva

1 diente de ajo chafado

3 cucharadas de miel clara

2 cucharadas de vinagre de vino
   blanco

3 cucharadas de vino blanco seco

1 cucharada de pasta de tomate

2 tallos de apio cortados en rodajas

2 tomates, despepitados y picados

hojas de apio picadas, para decorar

1 Pele los chalotes. Caliente el aceite a fuego vivo en una sartén grande de base gruesa y saltéelos, removiendo constantemente, durante 3-5 minutos o hasta que empiecen a dorarse.

2 Añada la miel y el ajo; saltee a fuego vivo durante 30 segundos e incorpore el vinagre y el vino; remueva para impregnar bien los chalotes.

3 Agregue la pasta de tomate, el apio y el tomate. Llévelo a ebullición a fuego vivo y cuézalo 5-6 minutos. Salpimente y déjelo enfriar.

4 Ponga los chalotes en una fuente, adórnelos con hojas de apio picadas y sírvalos calientes o fríos.

VARIACIÓN

Para obtener otro elegante entrante, sustituya los chalotes por champiñones frescos, y el apio, por hinojo.

rollitos de gambas

para 4 personas

1 cucharada de aceite de girasol

1 pimiento rojo, sin semillas y
cortado en tiras delgadas

75 g de brotes de soja

la ralladura y el zumo de 1 lima

1 guindilla roja, sin semillas y picada

1 cucharadita de jengibre fresco
rallado

225 g de gambas crudas, peladas
y picadas

1 cucharada de salsa de pescado

½ cucharadita de arrurruz

2 cucharadas de cilantro fresco picado

8 hojas de pasta filo

2 cucharadas de mantequilla

2 cucharadas de aceite de sésamo

300 ml de aceite para freír

salsa de guindilla para acompañar

SUGERENCIA

Si utiliza gambas cocidas,
cuézalas sólo 1 minuto para
que no se vuelvan correosas.

1 Caliente un wok grande a fuego
medio. Añada el aceite, caliéntelo
y sofría el pimiento y los brotes soja
2 minutos o hasta que se ablanden.

2 Aparte el wok del fuego y añada
la ralladura y el zumo de lima, la
guindilla, el jengibre y las gambas;
remueva bien.

3 En un bol, diluya el arrurruz con
la salsa de pescado y viértalo
en el wok. Vuelva a ponerlo al fuego y
saltee, removiendo, durante 2 minutos,
o hasta que los jugos se espesen.
Incorpore el cilantro y mezcle bien.

4 Extienda la pasta filo sobre la
superficie de trabajo. Derrita la
mantequilla a fuego suave, añada el
aceite de sésamo y, con un pincel, unte
con ello todas las hojas de pasta.

5 Ponga un poco de relleno de
gambas sobre cada hoja, doble
los extremos y enróllelas con cuidado
para encerrarlo.

6 Caliente el aceite en una sartén
grande a fuego medio y fría los
rollitos de gambas por tandas, durante
2-3 minutos o hasta que estén
dorados. Colóquelos en una fuente
y sírvalos calientes, acompañados con
salsa de guindilla.

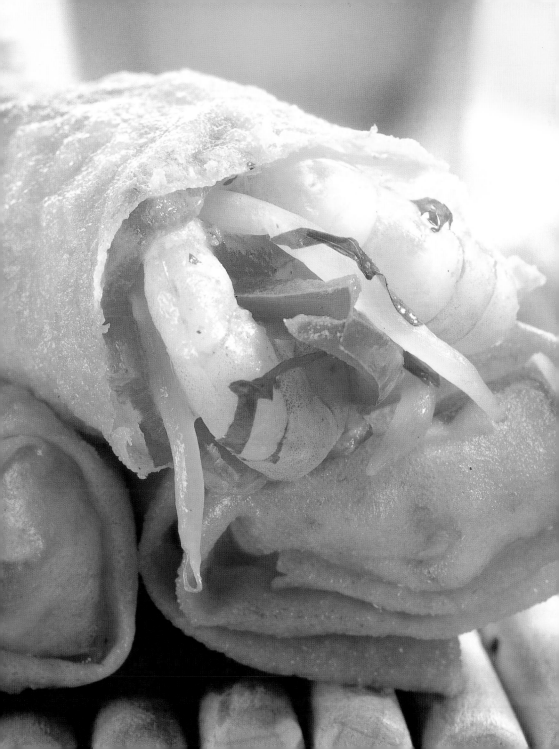

mejillones al vino blanco

para 4 personas

1½ kg de mejillones

55 g de mantequilla

1 cebolla grande picada

2-3 dientes de ajo chafados

350 ml de vino blanco seco

150 ml de agua

2 cucharadas de zumo de limón

un pellizco de ralladura de limón

1 ramillete de hierbas

1 cucharada de harina

4 cucharadas de nata líquida
o espesa

2-3 cucharadas de perejil picado

pimienta (sal, sólo si es necesaria)

pan crujiente para acompañar

1 Raspe y limpie los mejillones y frótelos bajo el chorro de agua fría unos 5 minutos. Deseche los que no se cierren al golpearlos con un cuchillo.

2 Funda la mitad de la mantequilla en una cazuela grande, a fuego lento. Sofría suavemente la cebolla y el ajo hasta que estén blandos, pero sin que lleguen a dorarse.

3 Añada el vino, el agua, la ralladura y el zumo de limón, y el ramillete de hierbas. Salpimente al gusto. A continuación, llévelo a ebullición a fuego lento, tape la cazuela y cuézalo durante 4-5 minutos.

4 Ponga los mejillones en la cazuela, tápela bien y cuézalos unos 5 minutos, sacudiendo la cazuela varias veces, hasta que se abran. Tire los que no lo hagan, y el ramillete.

5 Deseche la valva vacía de cada mejillón. Mezcle la mantequilla restante con la harina e incorpórelo poco a poco en el caldo. Déjelo cocer suavemente durante 2-3 minutos o hasta que se espese un poco.

6 Añada la nata y la mitad del perejil picado y caliéntelo a fuego lento. Rectifique la sazón si es necesario. Reparta los mejillones y el líquido de cocción entre 4 platos soperos precalentados; espolvoréelos con el resto de perejil y sírvalos, acompañados con pan crujiente.

hinojo al horno

para 4 personas

2 bulbos de hinojo

2 tallos de apio en trozos de 7,5 cm

6 tomates secados al sol cortados
    por la mitad

200 ml de *passata*

2 cucharaditas de orégano seco

55 g de queso parmesano recién
    rallado, y un poco más

1 Limpie el hinojo, desechando las hojas exteriores más duras y las frondas. Corte los bulbos en cuartos.

2 Ponga a hervir agua en una cazuela. Añada el hinojo y el apio y cuézalos hasta que estén tiernos, pero aún firmes. Escúrralos bien.

3 Ponga el hinojo, el apio y los tomates secados al sol en una bandeja para el horno.

4 Mezcle la *passata* y el orégano y viértalo sobre las hortalizas.

5 Esparza parmesano por encima y déjelo en el horno precalentado a 190 °C hasta que esté caliente y el queso, dorado. Sírvalo en los platos precalentados, con parmesano rallado.

higos con jamón curado

para 4 personas

40 g de rúcula

4 higos frescos

4 lonchas de jamón curado

4 cucharadas de aceite de oliva

1 cucharada de zumo de naranja

1 cucharada de miel clara

1 guindilla roja fresca, pequeña

SUGERENCIA

La piel de las manos puede picar después de cortar guindillas; por lo tanto, es aconsejable ponerse guantes para manipularlas, sobre todo las más picantes.

1 Si las hojas son grandes, rompa la rúcula en trozos y repártala entre 4 platos.

2 Con un cuchillo afilado, corte los higos en cuartos y póngalos sobre la rúcula.

3 Con el mismo cuchillo, corte el jamón curado en tiras y espárzalas sobre la rúcula y los higos.

4 Ponga el aceite, el zumo de naranja y la miel en un tarro con tapón de rosca y agítelo para que se emulsione y forme un aliño denso.

5 Con un cuchillo afilado, corte la guindilla en trocitos. No se toque la cara ni los ojos antes de haberse lavado las manos (véase *Sugerencia*). Añada la guindilla al aliño y mezcle bien.

6 Rocíe con el aliño la ensalada de jamón, rúcula e higos. Mezcle bien y lleve los platos a la mesa inmediatamente.

ensalada Capri

para 4 personas

2 tomates grandes y firmes

125 g de queso mozzarella

12 aceitunas negras

8 hojas de albahaca fresca

1 cucharada de vinagre balsámico

sal y pimienta

hojas de albahaca fresca, para
     decorar

SUGERENCIA

Aunque la mozzarella elaborada con leche de búfala suele ser más cara debido a la relativa rareza de estos animales, tiene mejor sabor que la variedad elaborada con leche de vaca. Es muy popular para ensaladas, pero proporciona también una sabrosa cobertura para los platos al horno.

1 Con un cuchillo afilado, corte los tomates en rodajas delgadas.

2 Escurra el queso mozzarella, si es necesario, y córtelo en rodajas delgadas.

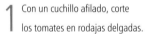

3 Deshuese las aceitunas y córtelas en anillas.

4 Forme montoncitos apilando capas alternas de tomate, queso, aceitunas y albahaca. Acabe con una de mozzarella.

5 Dore los montoncitos bajo el grill precalentado a temperatura fuerte durante 2-3 minutos, o hasta que se funda la mozzarella.

6 Rocíe la ensalada con el vinagre y el aceite y salpimente.

7 Ponga un montoncito de ensalada en cada plato, adórnelos con albahaca fresca y sírvalos de inmediato.

embutidos, aceitunas y tomate

para 4 personas

4 tomates pera

1 cucharada de vinagre balsámico

6 filetes de anchoa en conserva
escurridos y aclarados

2 cucharadas de alcaparras
escurridas y aclaradas

125 g de aceitunas verdes sin hueso

175 g de embutidos en rodajas

8 hojas de albahaca fresca

1 cucharada de aceite de oliva
virgen extra

sal y pimienta

1 Con un cuchillo afilado, corte los tomates en rodajitas muy finas. Rocíelas con vinagre balsámico y, a continuación, salpiméntelas al gusto. Resérvelas.

2 Corte los filetes de anchoa en trozos de la misma longitud que las aceitunas.

3 Introduzca un trocito de anchoa y una alcaparra en cada aceituna.

4 Distribuya los embutidos entre 4 platos y haga lo mismo con el tomate, las aceitunas rellenas y las hojas de albahaca fresca.

5 Rocíe ligeramente con el aceite el fiambre, el tomate y las aceitunas.

6 Sirva este entremés con abundante pan tierno y crujiente.

tofu frito con salsa de cacahuete y guindilla

para 4 personas

500 g de tofu marinado o al natural
(pesado una vez escurrido)

2 cucharadas de vinagre de arroz

2 cucharadas de azúcar

1 cucharadita de sal

3 cucharadas de crema de cacahuete

½ cucharadita de guindilla majada

3 cucharadas de salsa barbacoa

1 litro de aceite de girasol

2 cucharadas de aceite de sésamo

PASTA PARA REBOZAR

4 cucharadas de harina

2 huevos batidos

4 cucharadas de leche

½ cucharadita de levadura en polvo

½ cucharadita de guindilla molida

1 Corte el tofu en trozos de 2,5 cm. Resérvelos.

2 Mezcle el vinagre de arroz, el azúcar y la sal en un cazo y llévelo a ebullición a fuego lento; deje que borbotee 2 minutos.

3 Aparte el cazo del fuego y añada la crema de cacahuete, la guindilla y la salsa barbacoa; remueva hasta obtener una salsa bien amalgamada.

4 Tamice la harina sobre un bol, forme un hoyo en el centro y vierta el huevo; mezcle, añada la leche poco a poco y, por último, la levadura y la guindilla molida.

5 En una freidora o una sartén de base gruesa, caliente juntos los aceites de girasol y de sésamo hasta que empiecen ahumear.

6 Sumerja el tofu en la pasta y fríalo hasta que se dore bien, en tandas si es necesario. Ponga a escurrir el tofu rebozado sobre papel absorbente.

7 Disponga el tofu bien caliente en una fuente y sírvalo de inmediato, acompañado con la salsa de cacahuete y guindilla.

gambas con sal, especias y pimienta

para 4 personas

250-300 g de gambas crudas
    grandes, sin pelar, descongeladas
    si son congeladas
1 cucharada de salsa de soja clara
1 cucharada de vino de arroz chino
    o jerez seco
2 cucharaditas de harina fina de maíz
300 ml de aceite vegetal para freír
2-3 cebolletas, para decorar
1 cucharadita de pimienta de
    Sichuan en grano, molida
1 cucharadita de mezcla china de
    cinco especias

1 Arranque las patitas a las gambas, pero no las pele. Deje que se escurran sobre papel de cocina.

2 Ponga las gambas en un bol y añada la salsa de soja, el vino de arroz chino y la harina de maíz. Rebócelas bien con todo ello y déjelas marinar en el frigorífico durante 25-30 minutos.

3 Mezcle en un bol 1 cucharada de sal, la pimienta de Sichuan y el polvo de especias chinas. Póngalo en una sartén, a fuego muy lento, y remueva sin cesar durante 3-4 minutos, evitando que llegue a quemarse. Aparte la sartén del fuego y deje que la sal con especias se enfríe.

4 Caliente una sartén a fuego vivo. Vierta el aceite y, cuando humee, fría las gambas hasta que estén doradas; hágalo en tandas si es necesario. Saque las gambas de la sartén con una espumadera y deje que se escurran sobre papel de cocina.

5 Ponga las cebolletas cortadas en trozos en un bol pequeño, vierta por encima 1 cucharada del aceite todavía caliente y espere 30 segundos. Ponga las gambas en una fuente de servicio y decórelas cebolleta. Sírvalas acompañadas con la mezcla de sal especiada y pimienta para ir mojándolas.

marisco y pescadito rebozados

para 4 personas

200 g de calamares limpios

200 g de gambas grandes
   peladas

150 g de pescaditos variados

300 ml de aceite para freír

50 g de harina

1 cucharadita de albahaca seca

sal y pimienta

mayonesa al ajo para acompañar
   (véase *Sugerencia*)

SUGERENCIA

Para preparar la mayonesa al ajo, maje en el mortero 2 dientes de ajo, agregue 8 cucharadas de mayonesa, salpimente y añada 1 cucharada de perejil picado. Tápela con plástico de cocina y déjela reposar en la nevera.

1 Bajo el chorro de agua fría, aclare bien los calamares, las gambas y los pescaditos para eliminar cualquier suciedad o arena.

2 Con un cuchillo afilado, corte los calamares en rodajas, pero deje enteros los tentáculos.

3 En una sartén grande de base gruesa, caliente el aceite a 180-190 °C, hasta que un dado de pan se dore en 30 segundos.

4 Ponga la harina en un cuenco y añada la albahaca seca, sal y pimienta.

5 Reboce los calamares, las gambas y los pescaditos con la harina sazonada de modo que queden bien recubiertos. Sacuda con cuidado el exceso de harina.

6 Procediendo por tandas, fría el pescado y el marisco en el aceite caliente durante 2-3 minutos, o hasta estén dorados y crujientes. Saque cada tanda de la sartén con una espumadera y deje que se escurran sobre papel de cocina.

7 Distribuya la fritura entre 4 platos y sírvala acompañada con la mayonesa al ajo (véase *Sugerencia*).

tortilla china

para 4 personas

8 huevos

225 g de pollo cocido cortado
  en tiras

12 gambas grandes, peladas

2 cucharadas de cebollino fresco
  picado

2 cucharaditas de salsa de soja clara

un chorrito de salsa de guindilla

2 cucharadas de aceite vegetal

VARIACIÓN

Puede hacer más aromática esta
tortilla añadiendo en el paso 2,
junto con el cebollino picado,
3 cucharadas de cilantro fresco
picado o 1 cucharadita de
semillas de sésamo.

1 Bata los huevos en un bol grande.
Añada las tiras de pollo y las
gambas y mezcle bien.

2 Incorpore el cebollino y las salsas
de soja y de guindilla. Remueva
para mezclarlo todo.

3 En una sartén grande de base
gruesa, caliente el aceite a fuego
medio. Vierta la mezcla de huevo y
haga girar la sartén para que toda la
base quede cubierta por una capa
uniforme.

4 Haga la tortilla a fuego medio,
removiendo con un tenedor, hasta
que la superficie empiece a cuajar y la
base esté dorada.

5 Cuando la tortilla haya cuajado,
deslícela fuera de la sartén
ayudándose con una espátula. Córtela
en cuadritos o en tiras y sírvala.

pollo al jengibre y al sésamo

para 4 personas

500 g de pechuga de pollo sin hueso
la salsa que se prefiera para mojar
ADOBO
1 diente de ajo chafado
1 chalote picado muy menudo
2 cucharadas de aceite de sésamo
1 cucharada de salsa de pescado o
   de salsa de soja clara
la ralladura de 1 lima o de ½ limón
2 cucharadas de zumo de lima o de
   limón
1 cucharadita de semillas de sésamo
2 cucharaditas de jengibre rallado
2 cucharaditas de menta fresca picada
sal y pimienta

1 Para hacer el adobo, ponga el ajo, el chalote, el aceite de sésamo, la salsa de pescado o de soja, la ralladura y el zumo de lima o de limón, el sésamo, el jengibre y la menta en un bol grande no metálico. Salpimente y remueva para mezclar bien.

2 Quite la piel a las pechugas de pollo y deséchela. Con un cuchillo afilado, corte la carne en trozos.

3 Ponga los trozos de pollo en el adobo y remueva, procurando que queden bien recubiertos. Tape el bol con plástico de cocina y déjelo en la nevera 2 horas como mínimo, para que la carne absorba todos los sabores.

4 Ensarte los trozos de pollo en brochetas de madera remojadas. Póngalas en una rejilla sobre una bandeja para el horno y rocíe con el adobo.

5 Ase los pinchos de pollo bajo el grill precalentado 8-10 minutos, dándoles la vuelta varias veces y untándolos con el adobo.

6 Ponga los pinchos en una fuente y sírvalos de inmediato con la salsa de su elección para ir mojándolos.

pinchos con salsa satay

para 6 personas

4 pechugas de pollo sin piel ni hueso
   o 750 g de culata de buey pulida

gajos de lima para acompañar

ADOBO

1 cebolla pequeña picada

1 diente de ajo chafado

un trozo de jengibre de 2,5 cm rallado

2 cucharadas de salsa de soja oscura

2 cucharaditas de guindilla en polvo

1 cucharadita de cilantro molido

2 cucharaditas de azúcar moreno

1 cucharada de zumo de limón o de
   lima

1 cucharada de aceite vegetal

SALSA SATAY

300 ml de leche de coco

4 cucharadas de crema de cacahuete

1 cucharada de salsa de pescado

1 cucharadita de zumo de limón
   o de lima

sal y pimienta

1 Con un cuchillo afilado, quite toda partícula de grasa que pueda tener la carne de pollo o de buey y deséchela. Corte la carne en tiras delgadas de unos 7,5 cm de largo.

2 Para preparar el adobo, ponga todos los ingredientes en un bol y mezcle bien. Añada las tiras de carne y remueva para que se impregnen bien. Tape el bol y déjelo en la nevera 2 horas como mínimo, o mejor toda una noche.

3 Extraiga la carne del adobo y ensarte los trozos en brochetas de bambú o de madera previamente remojadas, formando eses.

4 Ponga los pinchos bajo el grill precalentado a temperatura media y áselos durante 8-10 minutos, dándoles la vuelta y embadurnándolos con el adobo de vez en cuando, hasta que la carne esté en su punto.

5 Para hacer la salsa, mezcle en un cazo la leche de coco con la crema de cacahuete, la salsa de pescado y el zumo de limón. Llévelo a ebullición y cuézalo durante 3 minutos. Salpimente.

6 Vierta la salsa en un bol y sírvala, junto con los gajos de lima, para acompañar los pinchos.

Pescado y marisco

La riqueza de especies y sabores de pescado y

marisco que ofrecen los océanos y los ríos del

mundo es inmensa. En cada país se combinan

las capturas locales con las hierbas favoritas y las especias de la región para crear

una gran diversidad de platos. Todas las recetas que aquí se reproducen se pre-

paran fácilmente y son deliciosas. Además de ofrecer una cocción rápida, el

pescado y el marisco poseen grandes cualidades nutricionales. Bajos en calo-

rías, pero ricos en minerales y proteínas, uno y otro resultan de gran importancia

a la hora de equilibrar cualquier dieta. Las especies de pescado ofrecen tal

variedad de sabores y precios que siempre encontrará la más adecuada tanto al

paladar como al bolsillo.

ensalada de trucha ahumada y manzana

para 4 personas

2 manzanas rojas de postre

2 cucharadas de aliño francés

½ manojo de berros

1 trucha ahumada de unos 175 g

tostadas Melba para acompañar

(véase *Sugerencia*)

ALIÑO DE RÁBANO PICANTE

125 ml de yogur natural bajo en

grasa

½-1 cucharadita de zumo de limón

1 cucharada de salsa de rábano

picante

leche (opcional)

1 cucharada de cebollino picado

flores de cebollino frescas (opcional)

SUGERENCIA

Para hacer las tostadas Melba,
tueste rebanadas de pan
medianas por las dos caras. Corte
y elimine la corteza y, con un
cuchillo afilado, córtelas
horizontalmente por la mitad y
tueste la cara no tostada bajo el
grill a temperatura media hasta
que estén crujientes.

1 Corte las manzanas en cuartos, sin pelarlas, y quíteles el corazón. Después, corte los cuartos en lonchitas y rocíelas con el aliño francés para evitar que se ennegrezcan.

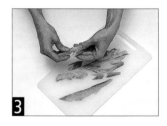

2 Rompa los berros en ramitos y repártalos entre 4 platos.

3 Pele la trucha y quítele la espina central. Quite también, con los dedos o con unas pinzas, las espinitas más pequeñas que hayan quedado. Desmenuce la trucha en trozos no demasiado pequeños y dispóngalos, junto con las lonchitas de manzana, entre los berros.

4 Para hacer el aliño de rábano picante, mezcle todos los ingredientes, sal y pimienta. Añada un poco más de leche si resulta demasiado espeso, y viértalo sobre la trucha. Esparza por encima el cebollino picado (y las flores, si las usa), y sírvalo con las tostadas Melba (véase *Sugerencia*).

ensalada agridulce de atún

para 4 personas

2 cucharadas de aceite de oliva

1 cebolla picada

2 dientes de ajo picados

2 calabacines cortados en rodajas

4 tomates pelados

400 g de alubias de tarro, aclaradas

10 aceitunas negras sin hueso

1 cucharada de alcaparras

1 cucharadita de azúcar

1 cucharada de mostaza de grano
     entero

1 cucharada de vinagre de vino blanco

200 g de atún de lata, escurrido

2 cucharadas de perejil picado, y un
     poco más para decorar

pan crujiente para acompañar

1 Caliente el aceite a fuego suave en una sartén grande de base gruesa y sofría la cebolla y el ajo, removiendo de vez en cuando, durante 5 minutos o hasta que la cebolla se ablande, pero sin que llegue a dorarse.

2 Añada las rodajas de calabacín y siga sofriendo 3 minutos más, removiendo de vez en cuando.

3 Corte los tomates por la mitad y luego en gajos.

4 Póngalos en la sartén junto con las alubias, las aceitunas cortadas por la mitad, las alcaparras, el azúcar, la mostaza y el vinagre.

5 Rehogue suavemente 2 minutos, removiendo. Deje que se entibie.

6 Incorpore el atún desmenuzado y el perejil picado. Sirva la ensalada tibia en 4 platos individuales y adornada con perejil picado; acompáñela también con pan crujiente.

ensalada de atún, judías verdes y anchoas

para 4 personas

500 g de tomates

200 g de atún en conserva, escurrido

2 cucharadas de perejil picado

½ pepino

1 cebolla roja pequeña

225 g de judías verdes cocidas

1 pimiento rojo pequeño, sin semillas

1 lechuga pequeña

6 cucharadas de aliño italiano

3 huevos duros

55 g de filetes de anchoa en
    conserva, escurridos

12 aceitunas negras, deshuesadas

1 Corte los tomates en gajos y desmenuce el atún; póngalos en un bol y añada el perejil picado.

2 Corte el pepino y la cebolla en rodajas y póngalos en el bol.

3 Corte las judías verdes por la mitad, pique el pimiento e incorpórelos; añada la lechuga. Vierta por encima el aliño y remueva bien. Ponga la ensalada en una ensaladera. Corte los huevos en cuartos. Añádalos a la ensalada, disponga los filetes de anchoa y esparza las aceitunas por la superficie. Sírvala de inmediato.

ensalada de mejillones

para 4 personas

2 pimientos rojos, sin semillas y
   cortados por la mitad

350 g de mejillones cocidos, sin las
   valvas y descongelados si son
   congelados

1 achicoria

25 g de rúcula

8 mejillones con su cáscara

tiras de piel de limón para decorar

pan crujiente para acompañar

ALIÑO

1 cucharada de aceite de oliva

1 cucharada de zumo de limón

1 cucharadita de ralladura de limón

2 cucharaditas de miel clara

1 cucharadita de mostaza francesa

1 cucharadita de cebollino picado

sal y pimienta

1 Ponga los pimientos, con el lado de la piel hacia arriba, sobre una rejilla, y áselos bajo el grill precalentado durante 8-10 minutos, o hasta que la piel esté chamuscada y la pulpa, tierna. Póngalos en un bol y tápelo con film adhesivo. Déjelos reposar 10 minutos o hasta que se hayan enfriado lo bastante para poder pelarlos.

2 Pele los pimientos, córtelos en tiras finas y póngalas en un bol junto con los mejillones sin cáscara.

3 Para preparar el aliño, mezcle en otro bol el aceite, el zumo y la ralladura de limón, la miel, la mostaza y el cebollino. Salpimente al gusto. Añada las tiras de pimiento y los mejillones y remueva con suavidad para que todo se impregne bien.

4 Quite el troncho central de la achicoria y corte las hojas en tiras. Póngalas en una ensaladera junto con la rúcula y alíñelas.

5 Apile la mezcla de mejillones en el centro de las hojas y disponga los mejillones con cáscara. Adorne la ensalada con gajos de limón y sírvala con pan crujiente.

ensalada napolitana de marisco

para 4 personas

450 g de calamares limpios,
cortados en tiras

750 g de mejillones cocidos

450 g de berberechos en salmuera

150 ml de vino blanco

300 ml de aceite de oliva

225 g de algún tipo de pasta
pequeño

el zumo de 1 limón

1 manojo de cebollino fresco,
cortado menudo

1 manojo de perejil fresco picado

4 tomates grandes

hojas de ensalada variadas

sal y pimienta

1 ramita de albahaca para decorar

1 Ponga el marisco en un bol grande y vierta por encima el vino y la mitad del aceite. Tape el bol y guárdelo en el frigorífico durante 6 horas.

2 Ponga la mezcla en una cazuela y cuézala a fuego lento 10 minutos. Deje enfriar el marisco.

3 En una cazuela, ponga a hervir agua con sal. Eche la pasta y 1 cucharada de aceite y cuézala hasta que esté *al dente*.

4 Cuele la mitad del líquido de cocción del marisco y resérvelo. Deseche el resto. Incorpore el zumo de limón, las hierbas y el resto del aceite. Salpimente. Escurra la pasta y mézclela con el marisco.

5 Cuartee los tomates. Corte en tiras las hojas de ensalada y póngalas en la base de una ensaladera. Coloque encima la ensalada de marisco y decore con los cuartos de tomate y una ramita de albahaca fresca. Llévela a la mesa.

salteado de marisco

para 4 personas

100 g de espárragos trigueros

1 cucharada de aceite de girasol

un trozo de 2,5 cm de jengibre
  fresco cortado en tiras finas

1 puerro mediano, cortado en tiras

2 zanahorias medianas, en juliana

100 g de mazorquitas cuarteadas
  a lo largo

2 cucharadas de salsa de soja clara

1 cucharada de salsa de ostras

1 cucharadita de miel clara

450 g de marisco surtido cocido,
  descongelado si se adquiere
  congelado

tallarines al huevo recién hervidos,
  para acompañar

PARA DECORAR

4 langostinos grandes cocidos

1 manojo de cebollino fresco picado

1 Escalde los espárragos con agua
  hirviendo durante 1-2 minutos.
Escúrralos y resérvelos calientes.

2 Caliente un wok a fuego medio,
  vierta el aceite y, cuando esté
caliente, añada el jengibre, el puerro,
la zanahoria y el maíz. Saltee durante
unos 3 minutos.

3 Vierta en el wok las salsas de soja
  y de ostras y la miel. Incorpore
el marisco y siga salteando 2-3 minutos
o hasta que las verduras estén tiernas
y el marisco se haya calentado por
completo. Añada los espárragos
escaldados y saltee durante unos
2 minutos más.

4 Reparta los tallarines entre los
  platos y añada encima el salteado
de marisco y verduras. Decore con los
langostinos y el cebollino y llévelo a
la mesa.

salmón escalfado con plumas

para 4 personas

4 rodajas de 280 g de salmón fresco

55 g de mantequilla

175 ml de vino blanco seco

una pizca de sal marina

8 granos de pimienta

1 ramita de eneldo fresco

1 ramita de estragón fresco

1 limón cortado en rodajas

450 g de plumas

1 cucharada de aceite de oliva

SALSA

25 g de mantequilla

25 g de harina

150 ml de leche templada

el zumo y la ralladura de 2 limones

55 g de berros picados

sal y pimienta

PARA DECORAR

rodajas de limón

berros frescos

1 Ponga el salmón en una sartén grande. Añada la mantequilla, el vino, la sal, la pimienta, el eneldo, el estragón y el limón. Hiérvalo a fuego lento durante 10 minutos.

2 Con una pala de pescado, saque con cuidado las rodajas de salmón. Cuele y reserve el líquido de cocción. Quítele al salmón la piel y la espina central y deséchelas. Ponga las rodajas en una fuente, tápelas y resérvelas calientes.

3 Mientras tanto, en una cazuela, lleve agua ligeramente salada a ebullición. Añada 1 cucharadita de aceite y la pasta y cuézala durante 12 minutos o hasta que esté *al dente*. Escúrrala y rocíela con el aceite restante, póngala en una fuente precalentada, cúbrala con las rodajas de salmón y manténgalo todo caliente.

4 Derrita la mantequilla a fuego lento y sofría la harina 2 minutos. Añada la leche y 7 cucharadas del líquido de cocción. Agregue el zumo y la ralladura de limón y cueza la salsa durante 10 minutos, removiendo sin cesar.

5 Añada los berros a la salsa, remueva con delicadeza y salpimente.

6 Vierta la salsa sobre el salmón, decore con rodajas de limón y berros y sírvalo inmediatamente.

trucha con beicon ahumado

para 4 personas

1 cucharada de mantequilla

4 truchas de 280 g cada una, vacías

12 filetes de anchoa en aceite,
    escurridos y picados

2 manzanas peladas y cortadas
    en rodajas

4 ramitas de menta fresca

el zumo de 1 limón

12 lonchas de beicon ahumado
    graso, sin corteza

450 g de tallarines

1 cucharadita de aceite de oliva

PARA DECORAR

2 manzanas, cortadas en rodajas

4 ramitas de menta fresca

1 Engrase con la mantequilla una fuente para el horno honda.

2 Aclare con agua salada templada el interior de cada trucha.

3 Salpimente el pescado por dentro. Reparta las anchoas, las rodajas de manzana y las ramitas de menta entre las truchas, poniéndolo todo en su interior; rocíelas con zumo de limón.

4 Envuelva cada trucha, excepto la cabeza y la cola, con 3 lonchas de beicon ahumado enrolladas en espiral.

5 Coloque las truchas en la fuente, con los extremos de las lonchas de beicon doblados hacia abajo. Salpiméntelas y áselas en el horno precalentado a 200 °C durante 20 minutos, dándoles la vuelta al cabo de 10 minutos.

6 Mientras tanto, en una cazuela, lleve agua ligeramente salada a ebullición. Ponga el aceite y la pasta y cuézala durante 12 minutos, o hasta que esté al dente. Escúrrala y resérvala caliente.

7 Saque las truchas del horno. Distribuya la pasta entre 4 platos precalentados. Ponga encima las truchas, y decore con rodajas de manzana y ramitas de menta. Sirva inmediatamente.

filetes de salmonete con pasta

para 4 personas

1 kg de filetes de salmonete

300 ml de vino blanco seco

4 chalotes picados

1 diente de ajo chafado

3 cucharadas de hierbas frescas
   variadas, picadas

la ralladura y el zumo de 1 limón

una pizca de nuez moscada recién
   rallada

3 filetes de anchoa en conserva
   troceados

2 cucharadas de nata espesa

1 cucharadita de harina de maíz

450 g de fideos finos

1 cucharadita de aceite de oliva

sal y pimienta

PARA DECORAR

1 ramita de menta fresca

rodajas de limón

tiras de piel de limón

1 Ponga los filetes de pescado en una cazuela que pueda ir al horno. Vierta por encima el vino y añada los chalotes, el ajo, las hierbas, la ralladura y el zumo de limón, la nuez moscada y las anchoas. Salpimente. Cuézalo en el horno precalentado a 180 ºC, tapado, durante 35 minutos.

2 Pase los filetes a una bandeja precalentada; resérvelos calientes.

3 Vierta el líquido de cocción en un cazo y llévelo a ebullición a fuego lento. Redúzcalo a la mitad dejándolo hervir unos 25 minutos. Diluya la harina de maíz con la nata e incorpore la mezcla a la salsa para que se espese.

4 Mientras tanto, en una cazuela, ponga a hervir agua con sal. Añada el aceite y la pasta y cuézala 8-10 minutos, o hasta que al dente. Escúrrala y pásela a una fuente de servir templada.

5 Disponga los filetes de salmonete sobre la pasta y vierta por encima la salsa. Adorne con una ramita de menta fresca, rodajas de limón y tiras de piel de limón. Sírvalo inmediatamente.

arroz con cangrejo y mejillones

para 4 personas

300 g de arroz de grano largo

175 g de carne de cangrejo fresca, en conserva o congelada (ya descongelada) u 8 palitos de cangrejo (descongelados)

2 cucharadas de aceite de sésamo o de girasol

un trozo de jengibre fresco de 2,5 cm, rallado

4 cebolletas cortadas en rodajas finas diagonales

125 g de tirabeques, cortados en 2-3 trozos

½ cucharadita de cúrcuma

1 cucharadita de comino molido

400 g de mejillones en conserva, escurridos, o 350 g de mejillones congelados, ya descongelados

425 g de brotes de soja en conserva, bien escurridos

1 Ponga a hervir agua con sal y cueza el arroz 15 minutos. Escúrralo y resérvelo caliente.

2 Extraiga la carne del cangrejo si es fresco, o desmenúcela si es en conserva; en caso de que use palitos, córtelos en 3-4 trozos.

3 Caliente un wok a fuego vivo. Vierta el aceite y, cuando esté caliente, saltee el jengibre y la cebolleta durante 1-2 minutos. Añada los tirabeques y siga salteando unos minutos más. Espolvoree con la cúrcuma y el comino y salpimente. Remueva con delicadeza.

4 Añada la carne de cangrejo y los mejillones y saltee 1 minuto. Incorpore el arroz y los brotes de soja y saltee 12 minutos más o hasta que todo esté bien caliente y mezclado.

5 Rectifique la sazón si le parece necesario, disponga el arroz en una fuente y llévelo a la mesa.

filetes de platija con uvas

para 4 personas

500 g de filetes de platija sin piel

4 cebolletas (la parte blanca y la verde)
cortadas en rodajas diagonales

125 ml de vino blanco seco

1 cucharadita de harina de maíz

2 cucharadas de leche desnatada

2 cucharadas de eneldo fresco picado

4 cucharadas de nata espesa

125 g de uva blanca despepitada

1 cucharadita de zumo de limón

sal y pimienta

ramitas de eneldo fresco para decorar

PARA ACOMPAÑAR

arroz *basmati* recién hervido

láminas de calabacín

SUGERENCIA

El eneldo tiene un marcado sabor anisado que combina bien con el pescado. Sus hojas resultan muy atractivas como decoración.

1 Corte el pescado en tiras de unos 4 cm de largo y póngalo en una sartén con la cebolleta y el vino blanco. Salpimente al gusto.

2 Llévelo a ebullición a fuego lento y déjelo cocer, tapado, durante unos 4 minutos. Con una espumadera, pase el pescado a una fuente de servicio precalentada. Tápelo y resérvelo caliente.

3 Agregue al jugo de cocción la harina desleída en la leche, el eneldo y la nata. Hiérvalo a fuego vivo unos 2 minutos, hasta que se espese.

4 Añada las uvas y el zumo de limón y caliéntelo a fuego lento, 1-2 minutos; vierta la salsa sobre el pescado. Sírvalo adornado con ramitas de eneldo y acompañado con el arroz y las láminas de calabacín.

espaguetis con salsa de anchoas

para 4 personas

6 cucharadas de aceite de oliva

2 dientes de ajo chafados

55 g de filetes de anchoa escurridos

450 g de espaguetis

55 g de *pesto* (véase pág. 227)

2 cucharadas de orégano fresco
   picado

85 g de queso parmesano rallado, y
   un poco más para acompañar

sal y pimienta

2 ramitas de orégano para decorar

1 Reserve 1 cucharada del aceite y caliente el resto en un cazo pequeño, a fuego medio. Añada el ajo y fríalo durante 3 minutos.

2 Reduzca la intensidad del fuego, agregue las anchoas y sofríalas, removiendo de vez en cuando, hasta que se deshagan.

3 En una cazuela grande, ponga a hervir agua con sal; añada el resto del aceite y los espaguetis y cuézalos durante 8-10 minutos, o hasta que estén *al dente*.

4 Agregue la salsa *pesto* (véase pág. 227) y el orégano fresco picado a la pasta de anchoa; salpimente.

5 Escurra la pasta y póngala en una fuente precalentada. Vierta por encima la salsa mixta de *pesto* y anchoa y espolvoree con queso rallado.

6 Adorne la fuente con ramitas de orégano fresco y llévela a la mesa. de inmediato. Si lo desea, acompañe la pasta con más parmesano rallado.

revuelto de marisco

para 4 personas

12 gambas grandes crudas

125 g de cangrejos de río

12 gambas pequeñas crudas

450 g de filete de besugo

55 g de mantequilla

12 vieiras sin la concha

el zumo y la ralladura de 1 limón

azafrán en hebras o en polvo

1 litro de caldo vegetal

150 ml de vinagre de pétalos de
    rosa (véase *Sugerencia*)

450 g de lazos de pasta

1 cucharada de aceite de oliva

150 ml de vino blanco

1 cucharada de pimienta rosa
    en grano

115 g de zanahorias enanas

150 ml de nata fresca espesa
    o queso fresco

sal y pimienta

SUGERENCIA

Para preparar el vinagre de
pétalos de rosa, sumerja los
pétalos de 8 rosas biológicas en
150 ml de vinagre de vino blanco
y déjelos en infusión durante
48 horas.

1 Quite el caparazón y el intestino a todas las gambas y los cangrejos. Corte en lonchas finas los filetes de besugo. Derrita la mantequilla en una sartén grande a fuego medio y sofría durante 1-2 minutos el pescado y todo el marisco.

2 Espolvoree con pimienta. Añada el zumo y la ralladura de limón. Con mucho cuidado, añada una pizca de azafrán en polvo o unas hebras de azafrán al jugo de cocción (no lo ponga sobre el marisco).

3 Saque el marisco de la sartén y resérvelo caliente.

4 Vuelva a poner la sartén a fuego medio, añada el caldo y deje que hierva hasta que se reduzca un tercio. Añada el vinagre aromático y hiérvalo 4 minutos para siga reduciéndose.

5 Ponga a hervir agua con sal a fuego medio, añada el aceite y la pasta y cuézala durante 8-10 minutos, o hasta que esté *al dente*. Escúrrala y pásela a una fuente. Ponga encima el marisco.

6 Añada el vino, la pimienta y las zanahorias al caldo de la sartén. Redúzcalo 6 minutos más. Añada la nata o el queso fresco y prolongue la cocción 2 minutos.

7 Vierta la salsa sobre el marisco y la pasta y sirva el plato sin dilación.

espaguetis con salsa de marisco

para 4 personas

225 g de espaguetis rotos en trozos
de 15 cm

2 cucharadas de aceite de oliva

300 ml de caldo de pollo

1 cucharadita de zumo de limón

1 coliflor pequeña en ramitos

2 zanahorias en rodajas finas

115 g de tirabeques

55 g de mantequilla

1 cebolla cortada en rodajas

225 g de calabacines cortados
en rodajas

1 diente de ajo picado

350 g de gambas congeladas
peladas y cocidas, descongeladas

2 cucharadas de perejil fresco
picado

25 g de queso parmesano rallado

½ cucharadita de pimentón

sal y pimienta

1 En una cazuela grande, ponga
a hervir agua con sal a fuego
medio. Añada 1 cucharadita de aceite
y los espaguetis, y cuézalos hasta que
estén *al dente*. Escúrralos y vuelva a
ponerlos en la cazuela. Rocíelos con
el aceite restante, tape la cazuela y
manténgalos al calor.

2 Lleve a ebullición el caldo con
el zumo de limón. Incorpore la
coliflor y las zanahorias y cuézalas
durante 3-4 minutos. Sáquelas del
recipiente y resérvelas. Cueza los
tirabeques durante 1-2 minutos.
Sáquelos del caldo y resérvelos.

3 Derrita la mitad de la mantequilla
en una sartén a fuego medio
y rehogue la cebolla y el calabacín
durante unos 3 minutos. Añada el ajo y
las gambas y rehogue 2-3 minutos más.

4 Incorpore las verduras reservadas
y caliéntelas. Salpimente al gusto
y añada el resto de la mantequilla.

5 Disponga la pasta en una fuente
de servicio grande precalentada.
Vierta por encima la salsa y espolvoree
con el perejil picado. Remueva con
dos tenedores para que la pasta
quede bien recubierta de salsa.
Espolvoréela con queso parmesano
recién rallado y pimentón, y sírvala
inmediatamente.

espaguetis con mejillones y vieiras

para 4 personas

225 g de espaguetis integrales

55 g de beicon magro picado,
  sin corteza

2 chalotes picados

2 tallos de apio picados

150 ml de vino blanco seco

150 ml de caldo de pescado

500 g de mejillones frescos,
  preparados

225 g de vieiras sin la concha

1 cucharada de perejil fresco
  picado

sal y pimienta

1 En una cazuela, ponga a hervir
  agua con sal a fuego medio.
Añada la pasta y cuézala durante unos
10 minutos, o hasta que esté *al dente*.

2 Mientras tanto, en una sartén
  a fuego lento, fría el beicon sin
añadir grasa durante 2-3 minutos.
Incorpore los chalotes, el apio y el vino.
Rehogue durante 5 minutos o hasta
que los chalotes estén tiernos.

3 Añada el caldo, los mejillones y
  las vieiras. Tápelo y prolongue la
cocción 6-7 minutos. Deseche todo
mejillón que no se haya abierto.

4 Escurra la pasta y mézclela con
  el marisco. Añada el perejil y
salpimente. Remueva y déjelo al fuego
1-2 minutos. Reparta la pasta entre
4 platos calientes, vierta por encima
el jugo que haya quedado y sírvala.

salteado de fideos con gambas

para 4 personas

225 g de fideos al huevo finos

2 cucharadas de aceite de cacahuete

1 diente de ajo chafado

½ cucharadita de anís estrellado
   molido

1 manojo de cebolletas cortadas en
   trozos de 5 cm

24 gambas grandes, peladas
   excepto el extremo de la cola

2 cucharadas de salsa de soja clara

2 cucharadas de zumo de lima

SUGERENCIA

Si utiliza fideos al huevo frescos, recuerde que necesitan muy poco tiempo de cocción. Basta con que los mantenga en agua hirviendo 3 minutos y después los escurra y los rocíe con aceite. Se pueden comer simplemente hervidos, o bien freír con carne y verduras.

1 Ponga a hervir agua en una cazuela, sumerja los fideos y escáldelos durante 2 minutos.

2 Escurra los fideos, aclárelos bajo el chorro de agua fría y vuelva a escurrirlos bien. Resérvelos calientes hasta que los necesite.

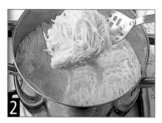

3 Caliente un wok a fuego vivo, vierta el aceite de cacahuete y, cuando casi humee, añada el ajo y el anís estrellado molido y saltee durante 30 segundos.

4 Incorpore en el wok las cebolletas y las gambas y saltee durante otros 2-3 minutos.

5 Agregue la salsa de soja, el zumo de limón y los fideos y mezcle.

6 Caliéntelo bien durante 1 minuto, procurando mezclar todos los ingredientes.

7 Distribuya la mezcla de fideos y gambas entre 3 boles precalentados. Decórelos con rodajas de lima y sírvalos inmediatamente.

fideos de celofán con gambas

para 4 personas

175 g de fideos de celofán

1 cucharada de aceite vegetal

1 diente de ajo chafado

2 cucharaditas de jengibre rallado

24 gambas grandes, peladas y sin
el hilo intestinal

1 pimiento rojo, sin semillas y
cortado en rodajitas

1 pimiento verde, sin semillas
y cortado en rodajitas

1 cebolla picada

2 cucharadas de salsa de soja clara

el zumo de 1 naranja

2 cucharaditas de vinagre de vino

una pizca de azúcar moreno

150 ml de caldo de pescado

1 cucharada de harina de maíz

2 cucharaditas de agua

rodajas de naranja para decorar

1 En una cazuela, ponga a hervir agua a fuego medio. Añada los fideos y cuézalos durante 1 minuto. Escúrralos, aclárelos y vuelva a escurrirlos.

2 Caliente un wok a fuego vivo, vierta el aceite, caliéntelo y saltee el ajo y el jengibre 30 segundos.

3 Añada las gambas y saltéelas durante 2 minutos. Sáquelas del wok y resérvelas calientes.

4 Añada el pimiento y la cebolla y saltee durante otros 2 minutos. Incorpore la salsa de soja, el zumo de naranja, el vinagre, el azúcar y el caldo. Vuelva a poner las gambas en el wok y cuézalo hasta que todo esté tierno.

5 Diluya la harina en el agua y viértala en el wok. Llévelo a ebullición a fuego medio, añada los fideos y cuézalos durante 1-2 minutos. Reparta el plato entre 4 boles calientes, decore con rodajitas de naranja y sirva.

fideos agridulces

para 4 personas

3 cucharada de salsa de pescado

2 cucharadas de vinagre blanco
destilado

2 cucharadas de azúcar

2 cucharadas de pasta de tomate

2 cucharadas de aceite de girasol

3 dientes de ajo chafados

350 g de fideos de arroz, remojados
en agua hirviendo 5 minutos

8 cebolletas cortadas en rodajas

175 g de zanahoria rallada

150 g de brotes de soja

2 huevos batidos

225 g de gambas grandes cocidas

50 g de cacahuetes picados

1 cucharadita de guindilla majada

1 Mezcle la salsa de pescado, el vinagre, el azúcar y la pasta de tomate.

2 Caliente un wok a fuego fuerte. Vierta el aceite, caliéntelo y saltee el ajo durante 30 segundos.

3 Escurra los fideos y póngalos en el wok junto con la salsa preparada en el paso 1. Remueva.

4 Añada la cebolleta, la zanahoria y los brotes de soja. Saltee durante 2-3 minutos.

5 Desplace la fritura a un lado del wok, vierta el huevo en la parte vacía y deje que cuaje. Incorpore en el wok las gambas y los cacahuetes, y mezcle bien. Reparta los fideos agridulces entre 4 platos precalentados y decórelos con la guindilla majada. Sírvalos inmediatamente.

SUGERENCIAS

Puede utilizar la guindilla molida que se vende en la sección de especias de los supermercados.

chow mein de marisco

para 4 personas

90 g de calamares, limpios

3-4 vieiras frescas

90 g de gambas crudas peladas

½ clara de huevo ligeramente batida

1 cucharada de pasta de harina
    de maíz (véase pág. 7)

280 g de tallarines al huevo

5-6 cucharadas de aceite vegetal

2 cucharadas de salsa de soja clara

55 g de tirabeques

½ cucharadita de sal

½ cucharadita de azúcar

1 cucharadita de vino de arroz chino

2 cebolletas cortadas en tiras finas

unas gotas de aceite de sésamo

1 Abra los calamares y haga unas incisiones en zigzag por la parte de dentro; córtelos en trozos del tamaño de un sello. Sumerja los trozos en un bol con agua hirviendo hasta que se enrosquen. Aclárelos bajo el chorro de agua fría y escúrralos.

2 Corte las vieiras en 3-4 rodajas, y las gambas por la mitad a lo largo, si son grandes. Rebócelas con la clara de huevo y la pasta de harina.

3 Ponga agua a hervir a fuego medio, añada los fideos y cuézalos durante 5-6 minutos. Escúrralos, aclárelos bajo el chorro de agua fría y vuelva a escurrirlos bien. Rocíelos con 1 cucharada de aceite.

4 Caliente un wok a fuego vivo. Vierta 3 cucharadas de aceite y, cuando esté caliente, añada los fideos y 1 cucharada de salsa de soja. Saltéelos 2-3 minutos y páselos a una fuente de servicio.

5 Caliente en el wok el resto del aceite. Añada los tirabeques y el marisco, saltéelos 2 minutos y después añada la sal, el azúcar, el vino de arroz chino, el resto de la salsa de soja y aproximadamente la mitad de la cebolleta. Mezcle bien y, si es necesario, agregue un poco de agua. Disponga el salteado sobre los fideos y rocíe con aceite de sésamo. Adorne el plato con el resto de cebolleta y sírvalo de inmediato.

fideos picantes con gambas

para 4 personas

2 cucharadas de salsa de soja clara

1 cucharada de zumo de limón
o de lima

1 cucharada de salsa de pescado

125 g de tofu de consistencia firme,
escurrido y cortado en dados

125 g de fideos de celofán

2 cucharadas de aceite de sésamo

4 chalotes cortados en rodajas finas

2 dientes de ajo chafados

1 guindilla roja fresca pequeña,
despepitada y picada

2 tallos de apio en rodajas finas

2 zanahorias en rodajas finas

125 g de gambas cocidas, peladas

55 g de brotes de soja

PARA DECORAR

hojas de apio

guindillas frescas

1 En un bol pequeño, mezcle la salsa de soja, el zumo de lima o de limón y la salsa de pescado. Ponga los trozos de tofu y remueva para que queden bien recubiertos por la salsa. Tape el bol con film adhesivo y deje que el tofu absorba los sabores durante 15 minutos.

2 Ponga los fideos en un bol grande y cúbralos con agua caliente. Déjelos en remojo durante 5 minutos y después escúrralos.

3 Caliente un wok grande a fuego vivo. Añada el aceite y, cuando esté caliente, saltee los chalotes, el ajo y la guindilla roja durante 1 minuto.

4 Agregue el apio y la zanahoria en rodajas y saltéelo todo 2-3 minutos más.

5 Ponga los fideos escurridos en el wok y saltéelos, removiendo, durante unos 2 minutos; después, añada las gambas, los brotes de soja y el tofu con su salsa. Tape y rehogue a fuego medio durante 2-3 minutos.

6 Reparta los fideos entre 4 boles precalentados, adórnelos con hojas de apio y guindillas frescas y sírvalos.

fideos con gambas a la tailandesa

para 4 personas

250 g de fideos finos transparentes

2 cucharadas de aceite de girasol

1 cebolla cortada en rodajas

2 guindillas rojas frescas,
despepitadas y picadas

4 hojas de lima cortadas en tiras

1 cucharada de cilantro fresco picado

2 cucharadas de azúcar de palma

2 cucharadas de salsa de pescado

450 g de gambas grandes crudas,
peladas

1 Ponga los fideos en un cuenco y vierta por encima agua hirviendo en cantidad suficiente para cubrirlos. Déjelos en remojo durante 5 minutos; después, escúrralos y resérvelos.

2 Caliente un wok a fuego vivo y vierta el aceite.

3 Cuando el aceite esté muy caliente, saltee la cebolla, la guindilla roja y las hojas de lima durante 1 minuto.

4 Añada el cilantro picado, el azúcar de palma, la salsa de pescado y las gambas. Saltéelo todo 2 minutos o hasta que las gambas adquieran un color rosado.

5 Incorpore los fideos escurridos, remueva para mezclar bien todos los ingredientes y saltee 1-2 minutos para calentarlos por completo.

6 Reparta los fideos a la tailandesa entre 4 boles precalentados y sírvalos inmediatamente.

SUGERENCIA

Si lo prefiere, sustituya las gambas grandes crudas por gambas cocidas. Descongélelas, si son congeladas, y saltéelas junto con los fideos en el paso 5 durante 1 minuto, justo el tiempo necesario para que se calienten.

arroz frito con gambas

para 4 personas

300 g de arroz de grano largo

2 huevos

4 cucharaditas de agua fría

3 cucharadas de aceite de girasol

4 cebolletas, cortadas en rodajas
  diagonales muy finas

1 diente de ajo chafado

125 g de champiñones, muy
  cerrados y frescos, laminados

2 cucharadas de salsa de ostras
  o de anchoas

200 g de castañas de agua en
  conserva, escurridas y cortadas
  en rodajas

250 g de gambas peladas,
  descongeladas si son congeladas

½ manojo de berros troceados

sal y pimienta

berros para decorar (opcional)

1 Ponga a hervir agua con sal a fuego medio, añada el arroz y cuézalo 15 minutos. Escúrralo y resérvelo caliente.

2 Bata los huevos por separado, cada uno con 2 cucharaditas de agua fría. Salpiméntelos.

3 Caliente un wok grande a fuego vivo. Ponga 2 cucharaditas del aceite y repártalo por toda la superficie. Vierta el primer huevo y extiéndalo bien. Espere a que la tortillita cuaje, sin tocarla; pásela a un plato y repita la operación con el otro huevo. Corte las tortillas en trozos de 2,5 cm; reserve.

4 Caliente en el wok el aceite restante y saltee la cebolleta y el ajo durante 1 minuto. Añada los champiñones y saltéelo todo durante 2 minutos más.

5 Agregue la salsa de ostras o de anchoas y salpimente, si es necesario. Incorpore las castañas de agua y las gambas, y saltee 2 minutos.

6 Incorpore el arroz y saltee durante 1 minuto; después, añada los berros picados y los cuadritos de tortilla reservados y saltee 2 minutos más para calentarlo todo bien. Pase el arroz a una fuente de servicio, adórnelo con berros, si lo desea, y sírvalo inmediatamente

arroz aromático con marisco

para 4 personas

225 g de arroz *basmati*

2 cucharadas de *ghee* (mantequilla
   clarificada) o de aceite vegetal

1 cebolla picada

1 diente de ajo chafado

1 cucharadita de semillas de comino

½-1 cucharadita de guindilla molida

4 clavos

1 rama de canela o un trozo de
   corteza de casia

2 cucharaditas de pasta de curry

225 g de gambas peladas

500 g de filetes de pescado blanco
   (como rape, bacalao o merluza)
   sin piel ni espinas

600 ml de agua hirviendo

55 g de guisantes congelados

55 g de maíz en grano congelado

1-2 cucharadas de zumo de lima

2 cucharadas de coco seco, tostado

sal y pimienta

PARA DECORAR

1 ramita de cilantro fresco

rodajas de lima

2 Caliente el *ghee* o el aceite vegetal en un cazo grande, a fuego lento. Añada la cebolla picada, el ajo, todas las especias secas y la pasta de curry y sofríalo, siempre a fuego lento, durante 1 minuto.

3 Incorpore el arroz lavado y remueva para que quede bien recubierto por el aceite aromatizado con especias. Añada las gambas y los filetes de pescado. Salpimente. Remueva un poco y vierta el agua hirviendo.

4 Tape el cazo y cueza el arroz a fuego lento durante 10 minutos. Añada los guisantes y el maíz, vuelva a taparlo y cuézalo todo junto durante 8 minutos más. Aparte el arroz del fuego y déjelo reposar 10 minutos.

5 Destape el cazo, esponje el arroz con un tenedor y dispóngalo en una fuente de servicio precalentada.

6 Rocíe el arroz con el zumo de lima y esparza por la superficie el coco tostado. Adórnelo con una ramita de cilantro fresco y 2 rodajas de lima. Sírvalo de inmediato.

1 Ponga el arroz en un colador y aclárelo bajo el chorro de agua fría hasta que el agua salga limpia. Escúrralo bien.

fideos con salsa de ostras

para 4 personas

250 g de fideos al huevo

450 g de muslos de pollo

2 cucharadas de aceite de nuez

100 g de zanahorias en rodajas

3 cucharadas de salsa de ostras

2 huevos

3 cucharadas de agua fría

1 Ponga los fideos en un cuenco grande y cúbralos con agua hirviendo. Déjelos en remojo durante 10 minutos.

2 Mientras tanto, quite la piel del pollo y deséchela. Corte la carne en trocitos con un cuchillo afilado.

3 Caliente un wok a fuego vivo y vierta el aceite.

4 Cuando esté muy caliente, añada el pollo y la zanahoria y saltéelos durante 5 minutos.

5 Escurra los fideos e incorpórelos en el wok. Saltéelo todo durante 2-3 minutos más o hasta que los fideos estén muy calientes.

6 Batiendo un poco, mezcle la salsa de ostras, los huevos y el agua. Viértalo sobre los fideos y deje el wok al fuego hasta que el huevo cuaje. Reparta los fideos entre 4 boles precalentados y sírvalos sin dilación.

VARIACIÓN

Si lo prefiere, aderece el huevo con salsa de soja en lugar de salsa de otras.

pastel de pasta con gambas

para 4 personas

225 g de pasta tricolor pequeña

1 cucharada de aceite vegetal

175 g de champiñones pequeños
   cortados en láminas

1 manojo de cebolletas, limpias
   y picadas

400 g de atún en salmuera,
   escurrido y desmenuzado

175 g de gambas peladas,
   descongeladas si son congeladas

2 cucharadas de harina de maíz

425 ml de leche desnatada

4 tomates medianos cortados
   en rodajas delgadas

25 g de pan recién rallado

25 g de queso cheddar con bajo
   contenido en grasa, rallado

sal y pimienta

1 En una cazuela grande, ponga a hervir agua con sal a fuego medio; añada la pasta y cuézala durante 8-10 minutos, o hasta que *al dente*. Escúrrala bien.

2 Mientras tanto, caliente el aceite en una sartén grande a fuego lento. Añada los champiñones y casi toda la cebolleta; reserve un poco. Sofríalo, removiendo de vez en cuando, durante 4-5 minutos.

3 Ponga la pasta hervida en un bol y añada el contenido de la sartén, el atún y las gambas.

4 Diluya la harina de maíz con un poco de leche. Vierta el resto de la leche en un cazo e incorpore la mezcla anterior. Caliéntelo, removiendo, hasta que la salsa se empiece a espesar. Salpimente y viértala sobre la pasta. Remueva con cuidado y póngala en una fuente refractaria grande sobre una bandeja para el horno.

5 Disponga las rodajas de tomate sobre la pasta y espolvoree con el pan rallado y el queso. Cueza el pastel en el horno precalentado a 190 ºC durante 25-30 minutos, o hasta que esté bien dorado. Espolvoree con el cebollino reservado y sirva.

bacalao con tomate al estilo indio

para 4 personas

3 cucharadas de aceite vegetal

4 rodajas de bacalao de 2,5 cm
   de grosor

1 cebolla picada

2 dientes de ajo chafados

1 pimiento rojo, sin semillas y
   picado

1 cucharadita de cilantro molido

1 cucharadita de comino molido

1 cucharadita de cúrcuma

½ cucharadita de *garam masala*

400 g de tomate triturado de lata

150 ml de leche de coco

1-2 cucharadas de cilantro o de
   perejil fresco picado

sal y pimienta

1 Caliente el aceite en una sartén grande a fuego medio. Salpimente el pescado y fríalo hasta que esté dorado por ambas caras, pero sin que quede demasiado cocido. Resérvelo.

2 En el mismo aceite y a fuego lento, sofría 2 minutos la cebolla, el ajo, el pimiento y las especias. Añada el tomate, llévelo a ebullición y cuézalo 5 minutos.

3 Vuelva a poner el pescado en la sartén y rehóguelo 8 minutos o hasta que esté a punto.

4 Saque el pescado de la sartén y resérvelo caliente en una fuente. Vierta en la sartén la leche de coco, añada el cilantro picado y caliéntelo todo a fuego suave.

5 Vierta la salsa sobre el pescado y sírvalo inmediatamente.

brochetas de pescado ahumado

para 4 personas

350 g de filete de bacalao ahumado

350 g de filete de bacalao

8 gambas crudas grandes

8 hojas de laurel

ramitas de eneldo fresco para adornar

MARINADA

4 cucharadas de aceite de girasol y
    un poco más para engrasar

2 cucharadas de zumo de limón o
    de lima

la ralladura de ½ limón o ½ lima

¼ de cucharadita de eneldo seco

1 Quite la piel a los dos tipos de bacalao y córtelos en trozos. Pele las gambas, dejando la cola intacta.

2 Prepare la marinada: en una fuente llana no metálica, mezcle el aceite, el zumo y la ralladura de limón, el eneldo seco, sal y pimienta.

3 Introduzca el pescado en el adobo e impregne bien todos los trozos. Déjelo marinar en la nevera 1-4 horas.

4 Ensarte trozos de pescado, gambas y hojas de laurel alternos en 4 brochetas metálicas.

5 Cubra la rejilla de una barbacoa con papel de aluminio untado con aceite. Disponga encima las brochetas y áselas en la barbacoa, a fuego medio, durante 5-10 minutos, mojándolas con la marinada de vez en cuando. Deles la vuelta una vez. Ponga las brochetas en una fuente de servicio precalentada y, si lo desea, adórnelas con eneldo fresco. Sírvalas.

brochetas de vieiras

para 4 personas

la ralladura y el zumo de 2 limas

2 cucharadas de citronela picada o
   1 cucharada de zumo de limón

2 dientes de ajo chafados

1 guindilla verde fresca, sin semillas
   y picada

16 vieiras, con el coral

2 limas cortadas en 8 gajos cada una

2 cucharadas de aceite de girasol

1 cucharada de zumo de limón

sal y pimienta

PARA ACOMPAÑAR

55 g de rúcula

200 g de hojas de ensalada variadas

1 Remoje 8 pinchos de madera en agua templada 30 minutos como mínimo, para evitar que se quemen al ponerlos en la barbacoa.

2 Maje en el mortero el zumo y la ralladura de lima, la citronela, el ajo y la guindilla y haga una pasta. Si lo prefiere, use un molinillo de especias.

3 En cada uno de los pinchos remojados se ensartarán 2 vieiras. Los extremos se cubrirán con papel de aluminio para evitar que se quemen.

4 Vaya ensartando gajos de lima y vieiras alternos.

5 En un bol pequeño, bata el aceite con el zumo de limón, sal y pimienta para obtener el aliño.

6 Unte las vieiras con la pasta de especias y ponga las brochetas sobre la barbacoa a fuego medio.

7 Ase las vieiras durante 10 minutos, embadurnándolas de vez en cuando. Deles la vuelta una vez.

8 Aliñe la rúcula y las hojas de ensalada. Mezcle bien.

9 Ponga 2 brochetas de vieiras, muy calientes, en cada plato, con un montoncito de ensalada. Sírvalas de inmediato.

kebabs orientales de marisco

para 12 personas

350 g de gambas grandes crudas,
peladas pero con el extremo
de la cola intacto

350 g de vieiras, limpias y cortadas
por la mitad (en cuartos, si son
grandes)

1 manojo de cebolletas cortadas en
trozos de 2,5 cm

1 pimiento rojo mediano, sin
semillas y cortado en cuadritos

100 g de mazorquitas limpias y
cortadas en trozos de 1 cm

3 cucharadas de salsa de soja oscura

½ cucharadita de guindilla molida

½ cucharadita de jengibre molido

1 cucharada de aceite de girasol

SALSA PARA MOJAR

4 cucharadas de salsa de soja oscura

4 cucharadas de jerez seco

2 cucharaditas de miel clara

un trozo de jengibre fresco de
2,5 cm, rallado

1 cebolleta, limpia y cortada en
rodajas muy finas

1 Remoje 12 pinchos de madera en agua templada 30 minutos como mínimo, para evitar que se quemen. Divida en 12 partes las gambas, las vieiras, las cebolletas, el pimiento y los trozos de maíz y ensártelos en los pinchos. Cubra los extremos de cada uno con papel de aluminio y póngalos en una fuente llana.

2 Mezcle la salsa de soja, la guindilla y el jengibre y recubra los *kebabs* con la mezcla. Déjelos en la nevera, tapados, unas 2 horas.

3 Disponga los *kebabs* sobre una rejilla. Píntelos con el aceite y áselos bajo el grill precalentado durante 2-3 minutos por cada lado, hasta que las gambas se vuelvan de color rosa y las vieiras, opacas, y que las hortalizas estén tiernas.

4 Mezcle los ingredientes de la salsa en un bol pequeño y resérvela.

5 Quite el papel de aluminio de los extremos de los *kebabs*, páselos a una fuente de servicio y sírvalos inmediatamente con la salsa para mojar.

brochetas de rape al limón

para 4 personas

450 g de cola de rape

2 calabacines

1 limón

12 tomates cereza

8 hojas de laurel

SALSA PARA ROCIAR

3 cucharadas de aceite de oliva

2 cucharadas de zumo de limón

1 cucharadita de tomillo fresco picado

½ cucharadita de *lemon pepper*, un
    preparado de especias al limón

PARA ACOMPAÑAR

ensalada de hoja verde

pan crujiente

VARIACIÓN

Si lo prefiere, sustituya el rape
por filetes de platija; piense que
necesitará 2 por persona. Pele y
corte cada filete a lo largo en dos
piezas. Enróllelas y ensártelas
en las brochetas.

1 Corte la cola de rape en trozos
de 5 cm.

2 Corte los calabacines en rodajas
gruesas y el limón, en gajos.

3 Ensarte rape, calabacín, limón,
tomatitos y hojas de laurel
alternos en 4 brochetas de metal.

4 Para hacer la salsa, mezcle en
un bol pequeño el aceite, el zumo
de limón, el tomillo picado, el *lemon
pepper* y sal.

5 Unte las brochetas con la salsa
generosamente. Dispóngalas en
la parrilla de la barbacoa sobre brasas a
intensidad media y áselas durante unos
15 minutos, rociándolas varias veces
con más salsa, hasta que el pescado
esté cocido. Ponga las brochetas en
los platos y sírvalas con una ensalada
verde y pan crujiente.

Carnes rojas

Este capítulo incluye una interesante selección de platos de carne realizados con diferentes métodos de elaboración. Barbacoas, frituras, asados y guisados ofrecen una gran riqueza de texturas y sabores. Recetas clásicas y tradicionales se presentan junto a platos más exóticos procedentes de todo el mundo que incorporan ingredientes nuevos y sorprendentes, sin que por ello caigan en el olvido los grandes favoritos de la familia, como las chuletas de cerdo y las costillas de cordero. Las recetas de este capítulo abarcan desde platos fáciles y económicos hasta elegantes y sofisticados manjares para ocasiones especiales.

tiras de solomillo a la crema

para 4 personas

6 cucharadas de mantequilla

450 g de solomillo cortado en tiras delgadas

175 g de champiñones pequeños cortados en láminas

1 cucharadita de mostaza

una pizca de jengibre fresco rallado

2 cucharadas de jerez seco

150 ml de nata espesa

sal y pimienta

4 rebanadas de pan recién tostado cortado en triángulos

PASTA

450 g de *rigatoni*

2 cucharaditas de aceite de oliva

2 ramitas de albahaca fresca

115 g de mantequilla

SUGERENCIA

La pasta seca se conserva hasta 6 meses en su envase. Una vez abierto, ciérrelo bien o guarde la pasta que sobre en un tarro herméticamente cerrado.

1 Derrita la mantequilla en una sartén grande a fuego lento y sofría las tiras de solomillo 6 minutos, removiendo a menudo. Con una espumadera, pase la carne a una fuente refractaria y resérvelo caliente.

2 Sofría las láminas de champiñón durante 2-3 minutos en el jugo que haya quedado en la sartén. Añada la mostaza, el jengibre, sal y pimienta. Sofría 2 minutos y agregue el jerez y la nata. Déjelo cocer 3 minutos y después vierta la salsa sobre las tiras de filete.

3 Cueza la carne con su salsa durante 10 minutos en el horno precalentado a 190 °C.

4 Mientras tanto, en una cazuela grande, caliente a fuego medio agua con sal. Cuando arranque a hervir, añada el aceite, una ramita de albahaca y la pasta. Cuézala a fuego vivo durante 10 minutos, o hasta que esté *al dente*. Escúrrala y pásela a una fuente precalentada. Aliñe la pasta con la mantequilla y decórela con la otra ramita de albahaca.

5 Sirva la carne con la pasta y con triángulos de pan recién tostado.

albóndigas con espaguetis frescos

para 4 personas

150 g de pan integral rallado

150 ml de leche

25 g de mantequilla

25 g de harina integral

200 ml de caldo de buey

400 g de tomate troceado de lata

2 cucharadas de pasta de tomate

1 cucharadita de azúcar

1 cucharada de estragón fresco picado

1 cebolla grande, picada

450 g de carne de ternera o de buey
   picada

1 cucharadita de pimentón dulce

4 cucharadas de aceite de oliva

450 g de espaguetis frescos

sal y pimienta

hojas de estragón fresco para decorar

1 Remoje el pan rallado en la leche durante 30 minutos

2 Derrita la mitad de la mantequilla en un cazo a fuego lento y rehogue la harina durante 2 minutos, removiendo. Vierta el caldo y cueza la salsa 5 minutos. Incorpore el tomate, la pasta de tomate, el azúcar y el estragón. Salpimente y cuézalo durante 25 minutos.

3 Mezcle la cebolla, la carne picada y el pimentón con el pan rallado y salpimente. Forme 14 albóndigas.

4 Caliente el aceite y la mantequilla restante en una sartén, a fuego medio, y fría las albóndigas hasta que se doren. Póngalas en una cazuela para el horno y vierta por encima la salsa. Cuézalas en el horno precalentado a 180 ºC durante 25 minutos.

5 Cueza la pasta a fuego medio hasta que esté al dente.

6 Saque las albóndigas del horno. Apile la pasta en 4 platos y disponga encima las albóndigas con su salsa. Adorne con perejil y sirva.

albóndigas con salsa italiana de vino tinto

para 4 personas

150 g de pan rallado blanco

150 ml de leche

25 g de mantequilla

9 cucharadas de aceite de oliva

225 g de setas cortadas en láminas

25 g de harina integral

200 ml de caldo de buey

150 ml de vino tinto

4 tomates pelados y picados

1 cucharada de pasta de tomate

1 cucharadita de azúcar moreno

1 cucharada de albahaca fresca picada

12 chalotes picados

450 g de carne de ternera o de buey
picada

1 cucharadita de pimentón dulce

450 g de tallarines al huevo

1 ramita de albahaca fresca

1 Remoje el pan rallado en la leche durante 30 minutos. Derrita la mitad de la mantequilla y 4 cucharadas de aceite en una sartén a fuego lento. Añada las setas y fríalas 4 minutos. Incorpore la harina y sofría 2 minutos. Añada el caldo y el vino y cuézalo todo 15 minutos. Incorpore el tomate, la pasta de tomate y la albahaca, salpimente y cuézalo 30 minutos.

2 Mezcle los chalotes, la carne picada y el pimentón con el pan rallado remojado; salpimente. Forme 24 albóndigas. Caliente 4 cucharadas del aceite con la otra mitad de la mantequilla. Fría las albóndigas hasta que estén doradas y póngalas en una cazuela con la salsa. Cuézalas en el horno precalentado a 180 °C durante 30 minutos.

3 Ponga al fuego una cazuela con abundante agua salada. Cuando arranque a hervir, añada la pasta y cuézala hasta que esté *al dente*. Escúrrala y pásala a una fuente. Ponga encima las albóndigas con su salsa. Decórela con una ramita de albahaca y llévela a la mesa.

135

chuletas de cerdo al sabor cítrico

para 4 personas

½ bulbo de hinojo

1 cucharada de bayas de enebro,
  ligeramente chafadas

unas 2 cucharadas de aceite de oliva

la ralladura fina de 1 naranja

4 chuletas de cerdo de 150 g
  cada una

el zumo de 1 naranja

ensalada para acompañar

SUGERENCIA

Las bayas de enebro se suelen asociar con la ginebra, pero en Italia se añaden con frecuencia a la carne para darle un delicado sabor cítrico. Se pueden comprar secas en las tiendas de dietética y en los grandes supermercados.

1 Pique el hinojo con un cuchillo afilado. Deseche las hojas exteriores duras y las frondas.

2 Maje en un mortero las bayas de enebro y después mézclalas con el hinojo, el aceite y la ralladura de naranja.

3 Con un cuchillo afilado, haga unas incisiones en las chuletas de cerdo.

4 Ponga las chuletas en una bandeja para asados o en una fuente refractaria y distribuya la mezcla de hinojo y enebro por encima.

5 Vierta poco a poco el zumo de naranja sobre las chuletas. Tápelas y déjelas marinar en la nevera durante unas 2 horas.

6 Ase las chuletas bajo el grill precalentado a temperatura alta durante 10-15 minutos, hasta que estén tiernas y en el punto deseado de cocción (el tiempo dependerá del grosor de la carne).

7 Sirva las chuletas de inmediato en los platos precalentados. Acompáñelas con una ensalada.

chuletas de cerdo con salvia

para 4 personas

2 cucharadas de harina

1 cucharada de salvia fresca picada
    o 1 cucharadita de salvia seca

4 chuletas de cerdo deshuesadas,
    con el exceso de grasa recortado

2 cucharadas de aceite de oliva

15 g de mantequilla

2 cebollas rojas cortadas en aros

1 cucharada de zumo de limón

2 cucharaditas de azúcar

4 tomates pera cortados en cuartos

sal y pimienta

ensalada verde para acompañar

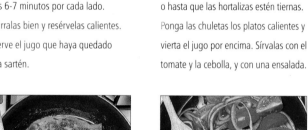

1 Mezcle la harina, la salvia, sal
y pimienta en un plato. Reboce
ligeramente las chuletas de cerdo con
la harina sazonada, por las dos caras.

2 Caliente el aceite y la mantequilla
en una sartén grande a fuego
medio y fría las chuletas durante
unos 6-7 minutos por cada lado.
Escúrralas bien y resérvelas calientes.
Reserve el jugo que haya quedado
en la sartén.

3 Vierta en la sartén el zumo de
limón y añada el azúcar, la cebolla
y el tomate. Rehóguelo todo 5 minutos
o hasta que las hortalizas estén tiernas.
Ponga las chuletas los platos calientes y
vierta el jugo por encima. Sírvalas con el
tomate y la cebolla, y con una ensalada.

pasta y solomillo de cerdo en salsa cremosa

para 4 personas

450 g de solomillo de cerdo cortado
en rodajas finas

4 cucharadas de aceite de oliva

225 g de champiñones pequeños
cortados en láminas

200 ml de salsa de vino tinto
italiana (véase pág. 135)

1 cucharada de zumo de limón

una pizca de azafrán

350 g de alguna pasta pequeña

4 cucharadas de nata espesa

12 huevos de codorniz

1 Ponga las rodajas de carne entre
2 hojas de plástico de cocina y
golpéelas hasta que estén finas como
una oblea; entonces, córtelas en tiras.

2 Caliente el aceite en una sartén
grande a fuego medio y fría la
carne durante 5 minutos. Añada los
champiñones y fríalo 2 minutos más.

3 Vierta por encima la salsa de vino
tinto italiana y cuézalo a fuego
lento durante 20 minutos.

4 Mientras tanto, ponga a hervir
agua con sal a fuego medio.
Añada el zumo de limón, el azafrán y la
pasta, y cuézala durante 8-10 minutos
o hasta que esté al punto. Escúrrala y
resérvela caliente.

5 Incorpore en la sartén la nata y las
tiras de solomillo y caliéntelo todo
durante 4 minutos.

6 Ponga a hervir agua a fuego
medio y cueza los huevos durante
3 minutos. Enfríelos con agua fría y
quíteles la cáscara.

7 Disponga la pasta en una fuente,
vierta por encima la carne con su
salsa y decórela con los huevos. Sírvala
inmediatamente.

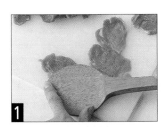

solomillo con limón y ajo

para 4 personas

450 g de solomillo de cerdo

50 g de almendras picadas

2 cucharadas de aceite de oliva

100 g de beicon picado

2 dientes de ajo picados

1 cucharada de orégano fresco picado

la ralladura fina de 2 limones

4 chalotes picados

200 ml de caldo de pollo

1 cucharadita de azúcar

guisantes tiernos con su vaina,
    recién cocidos, para acompañar

1 Con un cuchillo afilado, corte el solomillo en 4 trozos iguales. Ponga cada uno de ellos entre 2 hojas de papel vegetal y golpéelos con una maza de cocina o con el extremo de un rodillo.

2 Haga un corte horizontal en cada pieza para formar un bolsillo.

3 Ponga la almendra picada en una bandeja de horno y tuéstela ligeramente bajo el grill precalentado a temperatura media durante unos 2-3 minutos, o hasta que se dore.

4 Mezcle la almendra con 1 cucharada de aceite, el beicon, el ajo y el orégano picados y la ralladura de 1 limón. Reparta la mezcla entre los bolsillos de las piezas de carne.

5 Caliente el resto del aceite en una sartén y fría los chalotes, a fuego medio, durante 2 minutos

6 Añada los trozos de solomillo y fríalos hasta que se doren por todos los lados.

7 Vierta el caldo y llévelo a ebullición a fuego medio. Tape la sartén y cuézalo hasta que la carne esté tierna. Extráigala de la sartén con una espumadera y resérvela caliente.

8 Incorpore en la sartén el resto de la ralladura de limón y el azúcar, y cuézalo hasta obtener una consistencia de almíbar. Distribuya el solomillo entre 4 platos precalentados y vierta la salsa sobre la carne. Sírvala caliente, acompañada con los guisantes tiernos recién hervidos.

cordero con aceitunas

para 4 personas

1,25 kg de pierna de cordero
  deshuesada

6 cucharadas de aceite de oliva

2 dientes de ajo chafados

1 cebolla cortada en rodajas

1 guindilla roja fresca, despepitada
  y picada

175 ml de vino blanco seco

175 g de aceitunas negras
  deshuesadas

sal

1 ramita de perejil fresco para decorar

1 Con un cuchillo afilado, corte la carne en dados de 2,5 cm.

2 Caliente el aceite en una sartén, a fuego medio, y fría el ajo, la cebolla y la guindilla durante 5 minutos.

3 Añada la carne y el vino y prolongue la cocción otros 5 minutos.

4 Incorpore las aceitunas y pase la preparación a una cazuela que pueda ir al horno. Cuézalo en el horno precalentado a 180 °C durante 1-1½ horas, o hasta que la carne esté tierna. Sírvala en una fuente, decorada con una ramita de perejil.

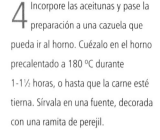

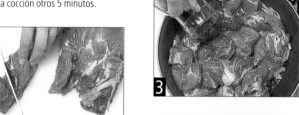

cordero a la romana

para 4 personas

1 cucharada de aceite de oliva

15 g de mantequilla

600 g de carne de cordero (paletilla
   o pierna), en dados de 2,5 cm

4 dientes de ajo pelados

3 ramitas de tomillo fresco, sin tallo

6 filetes de anchoa de lata

150 ml de vino tinto

150 ml de caldo de cordero
   o de verduras

1 cucharadita de azúcar

50 g de aceitunas negras sin hueso,
   cortadas por la mitad

2 cucharadas de perejil fresco
   picado para decorar

1 Caliente el aceite y la mantequilla en una sartén grande, a fuego medio, y sofría el cordero durante 4-5 minutos, hasta que esté dorado, removiendo de vez en cuando.

2 Maje en el mortero el ajo con el tomillo y las anchoas hasta obtener una pasta fina.

3 Vierta el vino y el caldo en la sartén. Incorpore también la pasta de ajo y anchoa y el azúcar.

4 Lleve la mezcla a ebullición a fuego medio. Tape el recipiente y cueza la carne a fuego lento unos 30-40 minutos o hasta que esté tierna. Durante los últimos 10 minutos, cuézalo destapado para que la salsa se reduzca un poco.

5 Incorpore las aceitunas en la salsa y mezcle bien.

6 Vierta el cordero a la romana en una fuente honda. Adórnelo con perejil picado y sírvalo de inmediato.

cordero con laurel y limón

para 4 personas

4 chuletas de cordero

1 cucharada de aceite

15 g de mantequilla

150 ml de vino blanco

150 ml de caldo de cordero
o de verduras

2 hojas de laurel

la piel de 1 limón, pelada muy fina

sal y pimienta

SUGERENCIA

Si piensa que le costará preparar las *noisettes* de cordero, pida consejo en la carnicería, donde le indicarán cómo hacerlo. Tal vez incluso se las preparen allí.

1 Con un cuchillo afilado, deshuese las chuletas, con cuidado para mantener la carne intacta. Si lo prefiere, pida en la carnicería que le preparen las *noisettes*.

2 Dé una forma redondeada a las chuletas y átelas con un cordel.

3 En una sartén grande a fuego medio, caliente el aceite con la mantequilla hasta se empiece a formar espuma.

4 Ponga la carne en la sartén y fríala durante 2-3 minutos por cada cara, hasta que esté bien dorada, incluso por los lados.

5 Aparte la sartén del fuego, escurra el exceso de grasa y deséchela.

6 Vuelva a poner la sartén al fuego. Añada el vino, el caldo, las hojas de laurel y la piel de limón. Cuézalo durante 20-25 minutos o hasta que el cordero esté tierno. Salpimente al gusto las *noisettes* y la salsa.

7 Reparta el cordero entre 4 platos precalentados. Desate y tire los cordelitos, deseche las hojas de laurel y sirva la carne con la salsa.

pierna de cordero a la barbacoa

para 4 personas

una pierna de cordero deshuesada,
de 1,8 kg aproximadamente
8 cucharadas de vinagre balsámico
la ralladura y el zumo de 1 limón
150 ml de aceite de girasol
4 cucharadas de menta fresca picada
2 dientes de ajo chafados
2 cucharadas de azúcar mascabado
claro
sal y pimienta
verduras a la parrilla con aceitunas y
ensalada verde, para acompañar

1 Abra la pierna de cordero deshuesada de modo que parezca una mariposa. Ensarte 2-3 brochetas en la carne para que resulte más fácil darle la vuelta en la barbacoa.

2 En una fuente honda no metálica, suficientemente grande como para que quepa el cordero, mezcle el vinagre balsámico, la piel y el zumo de limón, el aceite, la menta, el ajo, el azúcar, sal y pimienta.

3 Ponga el cordero en la fuente y úntelo bien con el adobo. Cúbralo y déjelo en el frigorífico durante 6 horas o toda una noche, dándole la vuelta de vez en cuando.

4 Extraiga el cordero del adobo y reserve el líquido para ir rociando la carne al asarla.

5 Ponga la parrilla a unos 15 cm de las brasas bien vivas de la barbacoa y ase el cordero durante unos 30 minutos por cada lado; a media cocción, dele la vuelta y rocíelo con el adobo.

6 Ponga el cordero sobre un tajo y extraiga las brochetas. Córtelo en rodajas, contra la fibra de la carne, y repártalas entre 4 platos precalentados. Sirva el cordero acompañado con unas verduras a la parrilla con aceitunas y una fresca ensalada verde.

costillas de cordero con romero

para 4 personas

8 costillas de cordero

5 cucharadas de aceite de oliva

2 cucharadas de zumo de limón

1 diente de ajo chafado

½ cucharadita de *lemon pepper*, un
    preparado de especias al limón

8 ramitas de romero fresco

patatas asadas con la piel

ENSALADA

4 tomates en rodajas

4 cebolletas en rodajas diagonales

ALIÑO

2 cucharadas de aceite de oliva

1 cucharada de zumo de limón

1 diente de ajo picado

1 cucharadita de romero fresco picado

1 Con un cuchillo afilado, recorte y elimine la carne del extremo del hueso de las costillas.

2 Ponga el aceite, el zumo de limón, el ajo, el *lemon pepper* y sal en una fuente no metálica y mezcle bien.

3 Cubra la fuente con ramitas de romero y ponga encima la carne. Déjela en adobo en la nevera durante al menos 1 hora; dele la vuelta una vez.

4 Saque el cordero del adobo y envuelva con papel de aluminio la punta de los huesos de las costillas.

5 Ponga las ramitas de romero sobre la parrilla de la barbacoa y coloque encima las costillas. Áselas sobre brasas vivas unos 10-15 minutos y deles una vuelta.

6 Mientras tanto, prepare la ensalada y el aliño. Disponga el tomate en una fuente y esparza la cebolleta por encima. Ponga los ingredientes del aliño en un tarro con tapa de rosca y agítelo enérgicamente; viértalo sobre la ensalada. Sírvala con las costillas y con las patatas asadas.

chuletas de ternera a la napolitana

para 4 personas

200 g de mantequilla

4 chuletas de ternera de 250 g cada
una, pulidas

1 cebolla grande cortada en rodajas

2 manzanas peladas en rodajitas

175 g de champiñones pequeños

1 cucharada de estragón fresco picado

8 granos de pimienta negra

1 cucharada de semillas de sésamo

400 g de pasta (por ejemplo cintas)

100 ml de aceite de oliva virgen extra

2 tomates grandes, cortados en dos

1 ramita de albahaca fresca

175 g de queso mascarpone

sal y pimienta

1 Derrita 55 g de la mantequilla en una sartén a fuego lento y fría las chuletas 5 minutos por cada lado. Resérvelas calientes en una fuente.

2 Ponga en la sartén la cebolla y la manzana y sofríalas a fuego lento 5-8 minutos, hasta que estén bien doradas; remueva de vez en cuando. Póngalas en una fuente, coloque encima las chuletas y resérvelo caliente.

3 Derrita el resto de la mantequilla en la sartén, a fuego suave. Añada los champiñones, el estragón picado y los granos de pimienta y sofría durante 3 minutos. Esparza por encima las semillas de sésamo.

4 Ponga a hervir agua con sal a fuego medio. Añada 1 cucharadita de aceite y la pasta y cuézala durante 8-10 minutos, hasta que esté *al dente*. Escúrrala y póngala en una fuente que pueda ir al horno.

5 Ase o fría los tomates con las hojas de la albahaca unos 2-3 minutos.

6 Esparza sobre la pasta trocitos de mascarpone y rocíela con el resto del aceite. Ponga encima la mezcla de cebolla y manzana, así como la carne. Vierta sobre todo ello el contenido de la sartén. Ponga alrededor los medios tomates con albahaca, introduzca la fuente en el horno precalentado a 150 ºC y caliéntelo durante 5 minutos .

7 Salpimente. Reparta la preparación entre 4 platos calientes y llévelos a la mesa de inmediato.

vitello tonnato

para 4 personas

750 g de pierna de ternera
   deshuesada, enrollada

2 hojas de laurel

10 granos de pimienta negra

2-3 clavos

½ cucharadita de sal

2 zanahorias cortadas en rodajas

1 cebolla cortada en rodajas

2 tallos de apio en rodajas

unos 700 ml de caldo o agua

150 ml de vino blanco seco
   (opcional)

PARA LA SALSA

85 g de atún de lata bien
   escurrido

40 g de filetes de anchoa de lata,
   escurridos

150 ml de aceite de oliva

2 cucharaditas de alcaparras en
   conserva, escurridas

2 yemas de huevo

1 cucharadita de zumo de limón

sal y pimienta

1 Ponga la carne en una cazuela con el laurel, la pimienta, los clavos, las hortalizas y sal. Vierta caldo o agua, y el vino si lo desea, de modo que el líquido apenas cubra la carne. Llévelo a ebullición a fuego medio, espume la superficie, tape la cazuela y cuézalo a fuego lento durante 1 hora o hasta que la carne esté tierna. Déjela enfriar y escúrrala.

2 Para hacer la salsa de atún, chafe el atún con 4 filetes de anchoa, 1 cucharada de aceite y otra de alcaparras. A continuación, añada las yemas de huevo y póngalo todo en una batidora. Triture hasta obtener una pasta.

3 Incorpore el zumo de limón y después, gradualmente, el resto del aceite hasta obtener una salsa homogénea y espesa. Salpimente al gusto.

4 Corte la ternera en rodajas delgadas, dispóngala en una fuente y cúbrala con la salsa. Téngala toda la noche en la nevera, tapada.

5 Con los filetes de anchoa restantes y las alcaparras, forme un dibujo sobre la salsa y sirva el *vitello tonnato*.

ternera en salsa de pétalos de rosa

para 4 personas

450 g de pasta (por ejemplo cintas)

7 cucharadas de aceite de oliva

1 cucharadita de orégano fresco

1 cucharada de mejorana fresca

175 g de mantequilla

450 g de filete de ternera cortado
   en rodajas delgadas

150 ml de vinagre de pétalos de
   rosa (véase pág. 106)

150 ml de caldo de pescado

4 cucharadas de zumo de pomelo

4 cucharadas de nata espesa

PARA DECORAR

12 gajos de pomelo rosa

12 granos de pimienta rosa

pétalos de rosa, lavados

hojas de hierbas frescas

1 En una cazuela grande, ponga a hervir agua con sal a fuego medio; añada 1 cucharadita de aceite y la pasta y cuézala hasta que esté a punto. Escurra la pasta, póngala en una fuente de servicio, rocíela con 2 cucharadas de aceite y espolvoréela con la mejorana y el orégano picados.

2 En una sartén grande a fuego medio, caliente 55 g de mantequilla con el resto del aceite y fría la carne durante 6 minutos. Sáquela de la sartén y póngala sobre la pasta. Resérvelo caliente.

3 Vierta el vinagre y el caldo en la sartén y hiérvalo a borbotones, a fuego medio, hasta reducirlo en dos tercios. Baje el fuego, añada el zumo de pomelo y la nata y siga cociéndolo a fuego lento 4 minutos. Corte el resto de la mantequilla en daditos e incorpórelos de uno en uno, batiendo con el batidor de varillas, para ligar la salsa.

4 Vierta la salsa alrededor de la ternera y decore con el pomelo, los granos de pimienta, los pétalos de rosa y hojitas de hierbas aromáticas frescas. Sírvalo inmediatamente.

hígado con salsa de vino

para 4 personas

4 tajadas de hígado de ternera u
    8 de cordero (unos 500 g totales)

1-2 cucharadas de harina

1 cucharada de aceite de oliva

25 g de mantequilla

125 g de lonchas de beicon magro,
    sin corteza y cortado en tiras finas

1 diente de ajo chafado

1 cebolla picada

1 tallo de apio en rodajas finas

150 ml de vino tinto

150 ml de caldo de buey

una buena pizca de pimienta
    de Jamaica molida

1 cucharadita de salsa Worcestershire

1 cucharadita de salvia fresca picada
    o ½ cucharadita de salvia seca

3-4 tomates pelados, cortados en
    cuartos y despepitados

sal y pimienta

hojas de salvia fresca para decorar

patatas salteadas para acompañar

1 Seque el hígado con papel de cocina, salpiméntelo y rebócelo con harina. A continuación, agítelo para eliminar el exceso de la misma.

2 Caliente el aceite y la mantequilla en una sartén a fuego medio y fría el hígado hasta que esté bien dorado por las dos caras y hecho por dentro. Sáquelo de la sartén, tápelo y resérvelo caliente, pero sin dejar que se seque.

3 Ponga el beicon, el ajo, la cebolla y el apio en la grasa de la sartén y sofríalo todo a fuego lento 5-8 minutos, o hasta que las hortalizas estén tiernas.

4 Añada el vino tinto, el caldo de buey, la pimienta de Jamaica, la salsa Worcestershire y la salvia. Salpimente, llévelo a ebullición y cueza la salsa a fuego lento durante 3-4 minutos.

5 Corte cada cuarto de tomate por la mitad. Añádalos a la salsa y prolongue la cocción 2-3 minutos.

6 Disponga el hígado sobre parte de la salsa y vierta el resto por encima. Adórnelo con hojas de salvia fresca y acompáñelo con patatas salteadas.

ternera a la italiana

para 4 personas

5 cucharadas de mantequilla

1 cucharada de aceite de oliva

650 g de patatas cortadas en dados

4 escalopes de ternera, de 175 g
cada uno

1 cebolla cortada en 8 gajos

2 dientes de ajo chafados

2 cucharadas de harina

2 cucharadas de pasta de tomate

150 ml de vino tinto

300 ml de caldo de pollo

8 tomates maduros, pelados, sin
semillas y cortados en daditos

25 g de aceitunas negras sin hueso
cortadas por la mitad

2 cucharadas de albahaca picada

hojas de albahaca para adornar

SUGERENCIA

Para ahorrar tiempo de cocción y
que la carne quede más tierna,
golpéela con una maza de cocina
para aplanarla antes de freírla.

1 Caliente la mantequilla y el aceite
en una sartén grande a fuego
medio y fría los dados de patata unos
5-7 minutos, hasta que empiecen a
dorarse, removiendo varias veces.

2 Saque las patatas de la sartén
y resérvelas.

3 En la sartén, fría los escalopes
durante 2-3 minutos por cada
lado, para sellar la carne. Extráigalos
con una espumadera y resérvelos.

4 En la misma sartén, sofría la
cebolla y el ajo unos 2-3 minutos.

5 Añada la harina y la pasta de
tomate y sofría 1 minuto, sin dejar
de remover. Incorpore poco a poco el
vino y el caldo, removiendo, hasta
obtener una salsa fina.

6 Vuelva a poner las patatas y los
escalopes en la sartén. Incorpore
el tomate, las aceitunas y la albahaca
fresca picada y salpimente al gusto.

7 Ponga la preparación en una
cazuela que pueda ir al horno
y cuézala en el horno precalentado
a 180 °C durante 1 hora o hasta que
todo esté bien tierno. Reparta el guiso
entre 4 platos precalentados, adórnelos
con hojas de albahaca fresca y sírvalos.

Carnes blancas

Los incondicionales del pollo encontrarán en este capítulo preparaciones al horno, platos de pasta y asados que incorporan una gran variedad de ingredientes muy saludables y llenos de color. Y quienes disfrutan con la cocina italiana se deleitarán saboreando una serie de deliciosas especialidades, entre las que se encuentran el tradicional pollo a la cazuela y el pollo al estilo de Marengo. Todas las recetas que aquí se incluyen son muy sabrosas y se preparan de una manera rápida y fácil. Además, resultan muy saludables y combinan una amplia gama de sabores. En estas páginas también se incluyen platos adecuados para aquellos que sigan una dieta baja en calorías, siempre que elijan cortes de carne magros.

pollo a la cazuela

para 4 personas

8 muslos de pollo

2 cucharadas de aceite de oliva

1 cebolla roja mediana, cortada en rodajas

2 dientes de ajo chafados

1 pimiento rojo grande, cortado en tiras gruesas

la piel pelada muy fina y el zumo de 1 naranja pequeña

125 ml de caldo de pollo

400 g de tomate troceado de lata

25 g de tomates secados al sol cortados en tiras finas

1 cucharada de tomillo fresco picado

50 g de aceitunas negras sin hueso

sal y pimienta

pan crujiente para acompañar

piel de naranja y 4 ramitas de tomillo fresco, para decorar

SUGERENCIA

Los tomates secados al sol tienen una textura densa y un sabor concentrado, y añaden un intenso aroma a los estofados.

1 En una sartén grande de base gruesa, saltee el pollo sin aceite a fuego más bien vivo hasta que se dore, dándole la vuelta de vez en cuando. Sáquelo de la sartén con una espumadera y póngalo en una cazuela. Deseche la grasa de la sartén.

2 Caliente el aceite en la sartén a fuego medio y fría la cebolla, el ajo y el pimiento rojo durante unos 3-4 minutos. Pase las hortalizas a la cazuela.

3 Añada la piel y el zumo de naranja, el caldo, el tomate triturado y los tomates secados al sol. Mezcle bien.

4 Llévelo a ebullición, tape la cazuela y cuézalo a fuego lento durante alrededor de 1 hora, removiendo de vez en cuando. Añada el tomillo picado y las aceitunas y salpimente al gusto.

5 Reparta el guiso entre 4 platos precalentados, adórnelo con las tiras de piel de naranja y las ramitas de tomillo y sírvalo acompañado con pan crujiente.

pollo al ajo y a las hierbas

para 4 personas

4 pechugas de pollo sin piel

100 g de queso tierno con toda su
   grasa al ajo y a las hierbas

8 lonchas de jamón curado

150 ml de vino tinto

150 ml de caldo de pollo

1 cucharada de azúcar moreno

hojas de ensalada verde, para servir

1 Con un cuchillo afilado, haga un corte horizontal a lo largo de cada pechuga para formar un bolsillo.

2 Ponga el queso en un bol y cháfelo con una cuchara de madera para ablandarlo. Repártalo entre los bolsillos de las pechugas.

3 Envuelva cada pechuga con 2 lonchas de jamón y átelo con un cordel.

4 Vierta el vino y el caldo en una sartén y llévelo a ebullición a fuego medio. Añada el azúcar y remueva para que se disuelva.

5 Ponga las pechugas en la sartén y cuézalas a fuego lento durante unos 12-15 minutos, hasta que la carne esté tierna o bien cuando al clavar la punta de un cuchillo en la parte más gruesa salga un jugo claro.

6 Saque el pollo de la sartén y resérvelo caliente.

7 Hierva la salsa hasta que se reduzca y se espese. Quite el cordel de las pechugas de pollo y córtelas en rodajas. Vierta la salsa sobre el pollo y sírvalo acompañado con la ensalada.

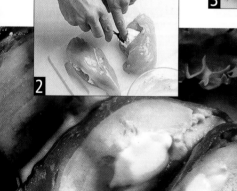

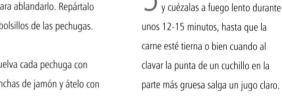

VARIACIÓN

En el paso 2, añada al queso
2 tomates secados al sol picados
muy menudos.

pepperonata de pollo

para 4 personas

8 muslos de pollo sin piel

2 cucharadas de harina integral

2 cucharadas de aceite de oliva

1 cebolla pequeña en rodajas finas

1 diente de ajo chafado

1 pimiento rojo, 1 amarillo y 1 verde,

    grandes, despepitados y cortados

    en rodajas finas

400 g de tomate troceado de lata

1 cucharada de orégano fresco picado

sal y pimienta

hojas de orégano fresco para decorar

SUGERENCIA

Si no tiene orégano fresco,
use tomate en conserva
aromatizado con hierbas.

1 Reboce los muslos de pollo
con harina.

2 Caliente el aceite en una sartén a
fuego vivo y fría el pollo hasta que
se dore. Sáquelo de la sartén y sofría la
cebolla hasta que se ablande. Añada el
ajo, el pimiento, el orégano y el tomate.
Llévelo a ebullición, removiendo.

3 Coloque el pollo sobre las
hortalizas. Salpimente, después
tape bien la sartén y cuézalo a fuego
lento durante 20-25 minutos, o hasta
que el pollo esté tierno y, al clavar la
punta de un cuchillo en la parte más
gruesa, salga un jugo claro.

4 Salpimente, ponga el pollo en
una fuente de servicio grande,
decórelo con hojas de orégano y sírvalo
a la mesa.

pollo con salsa de naranja

para 4 personas

2 cucharadas de aceite de pepita
de uva

2 cucharadas de aceite de oliva

4 supremas de pollo de 225 g

150 ml de brandy

2 cucharadas de harina

150 ml de zumo de naranja recién
exprimido

25 g de calabacín, cortado en
bastoncitos

25 g de pimiento rojo, cortado en
tiras finas

25 g de puerro, cortado en tiras finas

400 g de espaguetis integrales

3 naranjas grandes, peladas y
cortadas en gajos

la piel de 1 naranja, cortada en tiras
muy finas

2 cucharadas de estragón fresco
picado

150 ml de queso fresco o ricota

sal y pimienta

1 Caliente el aceite de pepita de uva
y 1 cucharada del aceite de oliva
en una sartén a fuego vivo y sofría el
pollo hasta que se dore. Añada el
brandy y deje evaporar el alcohol
durante unos 3 minutos. Espolvoree
con la harina y tuéstela durante
2 minutos, removiendo sin cesar.

2 Baje el fuego y añada el zumo de
naranja, el calabacín, el pimiento
y el puerro. Salpimente y deje que la
salsa cueza a fuego lento durante unos
5 minutos, hasta que se espese.

3 Mientras tanto, ponga a hervir
agua con sal a fuego medio y
cueza la pasta unos 10 minutos, o
hasta que esté en su punto. Escúrrala
y póngala en una fuente caliente.
Rocíela con el resto del aceite.

4 Añada a la salsa de la sartén la
mitad de los gajos y del zumo de
naranja, el estragón picado y el queso
fresco o la ricota. Déjelo cocer todo
junto durante 3 minutos, removiendo
con frecuencia.

5 Coloque el pollo sobre la pasta,
vierta por encima un poco de
salsa, decore con los gajos y la piel
de naranja reservados y sírvalo de
inmediato, con el resto de salsa en
una salsera.

rodajas de pollo envuelto con mortadela

para 4 personas

1 pollo de unos 2,250 kg

8 rodajas de mortadela o salami

125 g de pan rallado, blanco o
integral

125 g de queso parmesano recién
rallado

2 dientes de ajo chafados

6 cucharadas de albahaca o perejil
frescos picados

1 huevo batido

pimienta

verduras frescas de temporada para
acompañar

VARIACIÓN

Si lo prefiere, sustituya
la mortadela por lonchas
de beicon magro.

---

1 Deshuese el pollo dejando la piel intacta: disloque las patas rompiendo la articulación del muslo. Con un cuchillo afilado, corte a lo largo de los dos lados del espinazo; procure no perforar la piel de la pechuga.

2 Recorte el espinazo y resérvelo. Desprenda la carcasa, separando la carne adherida.

3 Separe del hueso la carne de los muslos y corte el hueso por la articulación con un cuchillo o con unas tijeras de cocina.

4 Aproveche los huesos para el caldo. Extienda el pollo deshuesado sobre la superficie de trabajo, con la piel hacia abajo. Coloque las rodajas de mortadela sobre el pollo, ligeramente solapadas.

5 Ponga en un bol el pan rallado, el parmesano, el ajo y la albahaca. Sazone con pimienta y mezcle bien. Incorpore el huevo para ligar la mezcla. Apile la pasta en el centro del pollo deshuesado, enrolle la carne a su alrededor y, para mantener el rollo apretado, átelo firmemente con un cordel delgado de algodón.

6 Ponga el rollo de pollo en una fuente grande para asados y úntelo ligeramente con aceite. Áselo en el horno precalentado a 200 °C durante 1½ horas o hasta que esté tierno y, al clavar la punta de un cuchillo en la parte más gruesa, salga un jugo claro.

7 Sirva el pollo caliente o frío, cortado en rodajas y acompañado con verduras frescas de temporada.

pollo al horno con mostaza

para 4 personas

4 cuartos de pollo u 8 octavos

4 cucharadas de mantequilla derretida

4 cucharadas de mostaza suave

(véase *Sugerencia*)

2 cucharadas de zumo de limón

1 cucharada de azúcar moreno

1 cucharadita de pimentón dulce

3 cucharadas de semillas de amapola

400 g de pasta (conchas)

1 cucharada de aceite de oliva

SUGERENCIA

La mostaza de Dijon es la más utilizada en cocina por su sabor definido y ligeramente picante. La mostaza alemana tiene un sabor agridulce, y la bávara es aún un poco más dulce. La mostaza americana es suave y dulzona.

1 Coloque los trozos de pollo, en una sola capa, en una fuente grande que pueda ir al horno.

2 Mezcle la mantequilla, la mostaza, el zumo de limón, el azúcar y el pimentón en un bol pequeño. Salpimente la mezcla y unte con ella la parte superior de las piezas. Introduzca la fuente en el horno precalentado a 200 ºC y ase el pollo durante 15 minutos.

3 Saque la fuente del horno y dé la vuelta a los trozos de pollo, cogiéndolos con unas pinzas. Úntelos de nuevo con el resto de la mezcla de mostaza y después esparza por encima las semillas de amapola. Ase el pollo en el horno durante 15 minutos más.

4 Mientras tanto, lleve agua con sal a ebullición a fuego medio. Añada la pasta y cuézala durante 8-10 minutos o hasta que esté *al dente*.

5 Escurra la pasta y repártala entre 4 platos. Coloque sobre ella 1 o 2 trozos de pollo, vierta salsa por encima y llévelo a la mesa.

pollo con aceitunas verdes

para 4 personas

3 cucharadas de aceite de oliva

2 cucharadas de mantequilla

4 pechugas de pollo parcialmente
   deshuesadas

1 cebolla grande picada

2 dientes de ajo chafados

2 pimientos rojos, amarillos o
   verdes, despepitados y troceados

250 g de champiñones pequeños,
   cortados en láminas o en cuartos.

175 g de tomates, pelados y
   cortados por la mitad

150 ml de vino blanco seco

175 g de aceitunas verdes sin hueso

4-6 cucharadas de nata espesa

400 g de pasta (lazos, por ejemplo)

sal y pimienta

perejil fresco picado para decorar

1 Caliente todo el aceite (menos 1 cucharadita) y la mantequilla en una sartén a fuego medio y sofría el pollo hasta que esté dorado. Sáquelo de la sartén.

2 En la misma sartén, sofría a fuego medio, la cebolla y el ajo. Cuando empiecen a ablandarse, añada el pimiento y los champiñones y sofría durante 2-3 minutos más.

3 Añada los tomates y salpimente al gusto. Pase las hortalizas a una cazuela que pueda ir al horno y coloque encima el pollo.

4 Vierta el vino en la sartén y llévelo a ebullición a fuego medio. Viértalo sobre el pollo. Tape la cazuela y cuézalo en el horno precalentado a 180 ºC durante 50 minutos.

5 Añada las aceitunas y remueva. Incorpore también la nata. Tape la cazuela y déjela en el horno 10-20 minutos más.

6 Mientras tanto, en una cazuela, ponga a hervir agua con sal. Añada la pasta y cuézala durante 8-10 minutos o hasta que esté en su punto. Escúrrala bien y pásela a una fuente caliente.

7 Sirva el pollo en la misma cazuela, adornado con perejil picado. Sirva la pasta para acompañar, por separado. Si lo prefiere, coloque el pollo sobre la pasta, vierta la salsa por encima, decore con perejil picado y lleve la fuente a la mesa.

pollo al estilo de Marengo

para 4 personas

8 piezas de pollo

2 cucharadas de aceite de oliva

300 g de *passata* (preparación
italiana de tomate triturado)

200 ml de vino blanco

2 cucharaditas de hierbas secas

40 g de mantequilla derretida

2 dientes de ajo chafados

8 rebanadas de pan blanco crujiente

100 g de setas surtidas

50 g de aceitunas negras sin hueso
picadas

1 cucharadita de azúcar

hojas de albahaca fresca para adornar

SUGERENCIA

Si tiene tiempo, en un cuenco
ponga en adobo las piezas de
pollo con el vino y las hierbas;
tape el recipiente y déjelo 2 horas
en el frigorífico. El pollo quedará
más tierno y se acentuará el
sabor a vino de la salsa.

1 Con un cuchillo afilado y con
cuidado de no estropear la carne,
deshuese todas las piezas de pollo.

2 Caliente 1 cucharada de aceite en
una sartén a fuego medio y sofría
el pollo 4-5 minutos, hasta que se
dore, dándole la vuelta a menudo.

3 Incorpore en la sartén la *passata*,
el vino y las hierbas. Llévelo a
ebullición a fuego medio y después
cuézalo a fuego suave 30 minutos,
o hasta que el pollo esté tierno y al
pincharlo en la parte más gruesa salga
un jugo claro. Resérvelo caliente.

4 Mezcle la mantequilla derretida y
el ajo chafado. Tueste ligeramente
las rebanadas de pan y úntelas con
esta mantequilla. Manténgalas al calor.

5 Caliente el resto del aceite en otra
sartén, a fuego suave, y sofría las
setas durante 2-3 minutos, o hasta que
se doren.

6 Añada al pollo las aceitunas y el
azúcar. Caliéntelo.

7 Reparta el pollo y la salsa entre
4 platos precalentados. Adorne
con albahaca fresca y sírvalo con las
tostadas y las setas.

pollo a la cazadora

para 4 personas

1 pollo de aproximadamente
  1,5 kg cortado en
  6-8 piezas
125 g de harina
3 cucharadas de aceite de oliva
150 ml de vino blanco seco
1 pimiento verde, sin semillas y
  cortado en tiras
1 pimiento rojo, sin semillas y
  cortado en tiras
1 zanahoria picada
1 tallo de apio picado
1 diente de ajo chafado
200 g de tomate troceado de lata
sal y pimienta

1 Aclare los trozos de pollo y séquelos con papel de cocina. Ponga la harina en un plato y sazónela con sal y pimienta; reboce ligeramente las piezas de pollo.

2 Caliente el aceite en una sartén grande a fuego medio y sofría el pollo hasta que esté dorado por todos los lados. Sáquelo de la sartén y resérvelo.

3 Elimine la grasa de la sartén excepto 2 cucharadas. Vierta el vino, déjelo evaporarse unos minutos y luego añada el pimiento, la zanahoria, el apio y el ajo. Salpimente y cuézalo a fuego lento durante 15 minutos.

4 Incorpore el tomate; rehogue un momento y ponga el pollo en la sartén. Cuézalo tapado, a fuego lento, 30 minutos, removiendo varias veces, hasta que esté hecho.

5 Reparta el pollo con su salsa entre 4 platos y sírvalo bien caliente.

pollo a la parrilla

para 4 personas

8 muslos de pollo deshuesados

1 cucharada de aceite de oliva

400 ml de *passata*

125 ml de pesto verde o rojo

    (se vende ya preparado)

12 rebanadas de pan crujiente

85g de queso parmesano recién

    rallado

55 g de piñones o de láminas de

    almendra

ensalada variada, para acompañar

SUGERENCIA

Aunque dejar la piel del pollo implica que tenga un mayor contenido de grasa, a muchas personas les gusta su rico sabor y su textura crujiente, en especial cuando está tostada en la barbacoa. Además, la piel ayuda a retener los jugos.

---

1 Disponga los muslos de pollo, en una sola capa, en una fuente grande, y úntelos con el aceite. Deje la fuente bajo el grill precalentado unos 15 minutos, hasta que los trozos se doren, dándoles la vuelta varias véces.

2 Pinche con una broqueta uno de los muslos para asegurarse de que ya no salga jugo rosado.

3 Deseche el exceso de grasa. Caliente la *passata* y la mitad del pesto en un cacito y viértalo sobre el pollo. Vuelva a ponerlo bajo el grill unos minutos, y dele vueltas hasta que quede bien recubierto por la salsa.

4 Unte el pan con el resto del pesto. Póngalo junto al pollo y esparza el parmesano y, por encima, los piñones. Caliente el pollo bajo el grill unos 2-3 minutos, hasta que esté dorado y crujiente. Sírvalo con una ensalada.

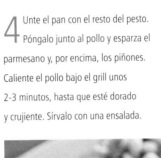

espirales con pollo a la italiana

para 4 personas

4 pechugas de pollo deshuesadas
y sin piel

25 g de hojas de albahaca frescas

15 g de avellanas

1 diente de ajo chafado

250 g de espirales de harina integral

2 tomates secados al sol o frescos

1 cucharada de zumo de limón

1 cucharada de aceite de oliva

1 cucharada de alcaparras

55 g de aceitunas negras

sal y pimienta

VARIACIÓN

Los tomates secados al sol tienen
un delicioso e intenso sabor, pero
si no puede encontrarlos utilice
tomates frescos.

---

1 Ponga una pechuga de pollo entre 2 hojas de plástico de cocina y golpéela para aplanarla. Repita la operación con el resto de las pechugas.

2 Ponga la albahaca y las avellanas en un robot de cocina o una picadora y píquelas. Incorpore el ajo y salpimente.

3 Extienda la mezcla sobre el pollo y enróllelo a partir de un extremo corto. Envuélvalo con papel de aluminio y asegure los extremos.

4 Ponga a fuego medio una cazuela grande con agua ligeramente salada. Cuando arranque a hervir, añada la pasta y cuézala hasta que esté *al dente*.

5 Ponga los paquetitos de pechuga en el cestillo o colador de un recipiente para cocción al vapor, con agua hirviendo en la parte inferior. Tape el recipiente y cueza el pollo al vapor durante 10 minutos. Corte los tomates en daditos.

6 Escurra la pasta y vuelva a ponerla en la cazuela, con el zumo de limón, el aceite, el tomate, las alcaparras y las aceitunas. Caliéntela.

7 Pinche un trozo de pollo para asegurarse de que el jugo salga claro. Si la carne ya está hecha, córtela en rodajas. Ponga la pasta en una fuente grande, coloque encima el pollo y sirva inmediatamente.

brocheta de espirales de pollo

para 4 personas

4 pechugas de pollo deshuesadas

1 diente de ajo chafado

2 cucharadas de pasta de tomate

4 lonchas de beicon ahumado

un buen puñado de hojas de
albahaca fresca

2 cucharadas de aceite vegetal

ensalada verde para acompañar

1 Ponga una pechuga de pollo entre
2 hojas de plástico de cocina y
golpéela con firmeza con una maza o
con un rodillo para aplanarla y dejarla
de un grosor uniforme. Repita la
operación con las otras pechugas.

2 Mezcle el ajo y la pasta de tomate
y extienda la mezcla sobre el pollo.
Ponga una loncha de beicon sobre cada
pechuga y añada encima hojas de
albahaca. Salpimente al gusto.

3 Enrolle firmemente las pechugas
y córtelas en rodajas gruesas.
Ensarte las rodajas en 4 brochetas,
conservando la forma de espiral.

4 Rocíe ligeramente las brochetas
con aceite y áselas en la barbacoa
caliente o bajo el grill precalentado
durante 10 minutos, dándoles la vuelta
una vez. Sírvalas calientes con una
ensalada verde.

perdiz al horno con pesto

para 4 personas

8 piezas de perdiz de unos
   115 g cada una

4 cucharadas de mantequilla derretida

4 cucharadas de mostaza de Dijon

2 cucharadas de zumo de lima

1 cucharada de azúcar moreno

6 cucharadas de pesto (véase
   pág. 227)

450 g de pasta (*rigatoni*)

115 g de parmesano recién rallado

sal y pimienta

VARIACIÓN

Puede preparar del mismo
modo un faisán
bien tierno.

---

1 Disponga los trozos de perdiz, con el lado de la piel hacia abajo y en una sola capa, en una fuente grande que vaya al horno.

2 Mezcle en un bol la mantequilla, la mostaza, el zumo de lima y el azúcar. Salpimente y unte con la mitad de la salsa los trozos de perdiz. Áselos en el horno precalentado a 200 ºC durante 15 minutos.

3 Saque la fuente del horno y unte el ave con 3 cucharadas del pesto. Vuelva a dejar la fuente en el horno durante otros 12 minutos.

4 Saque la fuente del horno, dé la vuelta a los trozos de perdiz y úntelos con la salsa de mostaza reservada. Áselos 10 minutos más.

5 Ponga a hervir agua con sal a fuego medio en una cazuela grande. Añada la pasta y cuézala 8-10 minutos, hasta que esté tierna, pero firme. Escúrrala y pásela a una fuente de servicio. Incorpore a la pasta el resto del pesto y el queso y remueva para mezclar bien. Sirva la perdiz acompañada con la pasta y vierta por encima los jugos de cocción.

pechuga de pato con pasta

para 4 personas

4 pechugas de pato de unos 280 g
cada una, deshuesadas

2 cucharadas de mantequilla

55 g de zanahoria picada

4 cucharadas de chalote picado

1 cucharada de zumo de limón

150 ml de caldo de carne

4 cucharadas de miel clara

115 g de frambuesas frescas o
congeladas (descongeladas)

25 g de harina

1 cucharada de salsa Worcestershire

450 g de pasta (tallarines)

sal y pimienta

PARA DECORAR

frambuesas frescas

ramitas de perejil fresco

1 Limpie las pechugas y, con un cuchillo afilado, dibuje una rejilla en el lado de la piel. Salpimente. Derrita la mantequilla en una sartén grande a fuego medio y sofría las pechugas hasta que estén doradas por todas partes.

2 Añada la zanahoria, el chalote, el zumo de limón y la mitad del caldo; cuézalo todo a fuego lento durante 1 minuto. Incorpore la mitad de la miel y de las frambuesas. Esparza por encima la mitad de la harina y cuézalo, removiendo, 3 minutos.

Salpimente y añada luego la salsa Worcestershire.

3 Vierta la mitad de caldo reservada y cuézalo 1 minuto más. Añada el resto de la miel y de las frambuesas y espolvoree con el resto de la harina. Prolongue la cocción 3 minutos.

4 Saque de la sartén las pechugas, pero deje la salsa y siga cociéndola a fuego muy lento.

5 Mientras tanto, ponga a hervir agua con sal en una cazuela grande. Añada la pasta y cuézala durante 8-10 minutos, hasta que esté en su punto. Escúrrala bien y repártala entre 4 platos.

6 Corte las pechugas en tajadas de 5 mm de grosor. Vierta un poco de salsa sobre la pasta y disponga por encima las tajadas en forma de abanico. Adorne con unas frambuesas frescas y con ramitas de perejil. Lleve los platos a la mesa inmediatamente.

Pasta y arroz

La pasta y el arroz se cuecen rápida y fácilmente

y, combinados con distintos ingredientes, permi-

ten obtener una gran variedad de platos. Para

cocer la pasta, ponga a hervir agua con sal a fuego medio en una cazuela grande;

cuando hierva, añada la pasta y cuézala sin tapar. Cuando esté tierna, pero firme

al morderla (*al dente*), escúrrala y rocíela con mantequilla, aceite de oliva o algu-

na salsa. Como norma general, la pasta fresca sin rellenar requiere 3 minutos de

cocción, la pasta fresca rellena, 10 minutos, y la pasta seca, unos 10-15 minu-

tos. Para cocer un arroz de buena calidad, como el *basmati*, remójelo durante

20-30 minutos para evitar que los granos se peguen. Introdúzcalo en un reci-

piente que contenga agua ligeramente salada y que esté hirviendo a fuego

lento, remueva una vez y cuézalo hasta que esté tierno, pero no blando. Serán

necesarios unos 15-20 minutos. Calcule unos 75 g de arroz por persona.

pastel de espaguetis a la siciliana

para 4 personas

·150 ml de aceite de oliva y un poco
más para engrasar

2 berenjenas

350 g de carne de buey picada

1 cebolla picada

2 dientes de ajo chafados

2 cucharadas de pasta de tomate

400 g de tomate troceado de lata

1 cucharadita de salsa Worcestershire

1 cucharadita de mejorana u
orégano frescos picados o ½ de
mejorana u orégano secos

55 g de aceitunas negras sin hueso,
cortadas en rodajitas

1 pimiento verde, rojo o amarillo,
despepitado y picado

175 g de espaguetis

115 g de queso parmesano recién
rallado

sal y pimienta

1 Unte con un poco de aceite un
molde de 20 cm de diámetro y
base desmontable, forre la base con
papel vegetal y úntelo también con
aceite.

2 Corte las berenjenas en rodajas.
Caliente aceite en una sartén a
fuego medio y sofríalas, en tandas,
hasta que se doren por los dos lados.
Añada aceite si es necesario. Deje que
se escurran sobre papel de cocina.

3 Ponga la carne, el ajo y la cebolla
en una cazuela y dórelos a fuego
medio. Añada la pasta de tomate, el
tomate, la salsa Worcestershire, las
hierbas, sal y pimienta. Cuézalo a
fuego lento durante 10 minutos. Añada
las aceitunas y el pimiento y cuézalo
10 minutos más.

4 Hierva la pasta en agua con
sal hasta que esté en su punto.
Escúrrala y pásela a un cuenco grande.
Añada el sofrito de carne y el queso y
remueva con 2 tenedores.

5 Forre con rodajas de berenjena
la base y los lados del molde.
Vierta los espaguetis y cúbralos con la
berenjena que quede. Cueza el pastel
durante 40 minutos en el horno
precalentado a 200 ºC. Déjelo reposar
5 minutos y después vuélquelo sobre
una fuente de servicio. Retire el papel
vegetal y sirva el pastel de inmediato.

pasticcio

para 4 personas

225 g de espirales (u otra pasta
de tamaño similar)

4 cucharadas de nata espesa

sal y pimienta

ramitas de romero fresco para
decorar

SALSA

1 cucharada de aceite de oliva y un
poco más para engrasar

1 cebolla cortada en rodajas finas

1 pimiento rojo, sin semillas y picado

2 dientes de ajo chafados

625 g de carne magra de buey
picada

400 g de tomate troceado de lata

125 ml de vino blanco seco

2 cucharadas de perejil fresco
picado

50 g de filetes de anchoa en
conserva, escurridos y picados

COBERTURA

300 g de yogur natural

3 huevos

una pizca de nuez moscada recién
rallada

55 g de queso parmesano recién
rallado

1 Para preparar la salsa, caliente el aceite en una sartén grande a fuego medio y sofría la cebolla y el pimiento durante 3 minutos. Incorpore el ajo y sofría 1 minuto. Añada la carne y sofría, removiendo, hasta que se dore.

2 Agregue el tomate y el vino. Remueva y llévelo a ebullición a fuego medio. Cueza la salsa a fuego lento durante 20 minutos o hasta que se espese un poco. Incorpore el perejil y las anchoas. Salpimente.

3 Ponga a hervir agua con sal en una cazuela grande. Añada la pasta y cuézala durante 8-10 minutos, hasta que esté al dente. Escúrrala y pásela a un bol. Mézclela con la nata y resérvela.

4 Para hacer la cobertura, bata bien el yogur con los huevos y la nuez moscada. Salpimente.

5 Unte con aceite una fuente grande y llana que pueda ir al horno. Ponga la mitad de la pasta y cúbrala con la mitad de la salsa de carne. Repita las capas y extienda la cobertura por encima. Esparza el parmesano.

6 Cueza el pasticcio en el horno precalentado a 190 °C durante 25 minutos, o hasta que la cobertura esté dorada y burbujee. Decórelo con ramitas de romero fresco y sírvalo.

espaguetis a la boloñesa

para 4 personas

1 cucharada de aceite de oliva

1 cebolla picada

2 dientes de ajo picados

1 zanahoria raspada y picada

1 tallo de apio picado

50 g de panceta o de beicon
    cortados en cuadritos

350 g de carne de buey magra,
    picada

400 g de tomate troceado de lata

2 cucharaditas de orégano seco

125 ml de vino tinto

2 cucharadas de pasta de tomate

sal y pimienta

350 g de espaguetis

queso parmesano recién rallado
    (opcional)

VARIACIÓN

En el paso 4, añada 25 g de boletos comestibles (*cèpes*) secos, previamente remojados durante 20 minutos en un poco de agua templada.

1 Caliente el aceite en una sartén grande a fuego medio y sofría la cebolla durante 3 minutos.

2 Añada el ajo, la zanahoria, el apio y el beicon y saltéelo a fuego vivo durante 3-4 minutos, o hasta que todo empiece a dorarse.

3 Agregue la carne picada y siga salteando a fuego vivo durante 3 minutos o hasta que esté dorada.

4 Incorpore el tomate, el orégano y el vino y llévelo a ebullición a fuego medio. Reduzca la temperatura y cuézalo a fuego lento unos 45 minutos.

5 Añada la pasta de tomate y salpimente.

6 En una cazuela grande, ponga a hervir agua con sal a fuego medio. Añada la pasta y cuézala durante 8-10 minutos o hasta que esté en su punto. Escúrrala bien.

7 Pase la pasta a una fuente y vierta por encima la salsa boloñesa. Llévela a la mesa sin dilación, así como un bol con parmesano rallado para que quien lo desee se sirva.

tallarines con salsa de pollo

para 4 personas

salsa de tomate (véase pág. 187)

225 g de tallarines verdes, frescos
    o secos

hojas de albahaca fresca para adornar

SALSA DE POLLO

55 g de mantequilla sin sal

400 g de pechuga de pollo,
    deshuesada, sin piel y cortada
    en tiras finas

85 g de almendras escaldadas

300 ml de nata espesa

sal y pimienta

1 Prepare la salsa de tomate y resérvela caliente.

2 Para hacer la salsa de pollo, derrita la mantequilla en una sartén grande de base gruesa y fría las tiras de pollo y las almendras, removiendo con frecuencia, durante 5-6 minutos o hasta que la carne esté hecha.

3 Mientras tanto, vierta la nata en un cazo pequeño y hiérvala a fuego lento unos 10 minutos, hasta reducirla casi a la mitad. Vierta la nata sobre el pollo y las almendras y remueva; salpimente. Aparte la sartén del fuego y resérvela al calor.

4 En una cazuela grande, ponga a hervir agua con sal a fuego medio. Añada la pasta y cuézala hasta que esté tierna, pero no blanda. Si los tallarines son frescos necesitarán unos 2-3 minutos de cocción, y si son secos, unos 8-10 minutos. Escurra bien la pasta y vuelva a ponerla en la cazuela. Tápela y resérvela caliente.

5 Cuando vaya a servirla, ponga la pasta en una fuente precalentada y vierta por encima la salsa de tomate. Disponga en el centro la preparación de pollo y nata, esparza por la superficie hojas de albahaca y llévela a la mesa.

tallarines con albóndigas

para 4 personas

500 g de carne magra de buey picada

55 g de miga de pan blanco tierna

1 diente de ajo chafado

2 cucharadas de perejil fresco picado

1 cucharadita de orégano seco

una pizca de nuez moscada rallada

¼ de cucharadita de cilantro molido

55 g de queso parmesano recién rallado

2-3 cucharadas de leche

harina para espolvorear

3 cucharadas de aceite de oliva

400 g de tallarines

2 cucharadas de mantequilla

sal y pimienta

SALSA DE TOMATE

3 cucharadas de aceite de oliva

2 cebollas grandes cortadas en rodajas

2 tallos de apio en rodajas finas

2 dientes de ajo picados

400 g de tomate troceado de lata

125 g de tomates secados al sol, en aceite, escurridos y picados

2 cucharadas de pasta de tomate

1 cucharada de azúcar mascabado moreno

150 ml de vino blanco o de agua

1 Para preparar la salsa de tomate, caliente el aceite en una sartén a fuego medio y sofría la cebolla y el apio hasta que estén transparentes. Añada el ajo y sofría 1 minuto. Incorpore el tomate, la pasta de tomate, el azúcar y el vino y salpimente. Cueza la salsa a fuego lento durante 10 minutos.

2 Ponga la carne en un bol y cháfela con una cuchara de madera hasta que se forme una pasta pegajosa. Añada la miga de pan, el ajo, las hierbas y las especias. Incorpore el queso y leche suficiente para obtener una pasta firme. Enharínese las manos y forme 12 albóndigas. Caliente el aceite en una sartén, a fuego vivo, y fría las albóndigas hasta que se doren.

3 Vierta la salsa de tomate sobre las albóndigas y cuézalas a fuego lento durante 30 minutos, dándoles la vuelta una o dos veces.

4 En una cazuela grande, ponga a hervir agua con sal a fuego medio. Añada la pasta y cuézala durante 8-10 minutos, hasta que esté en su punto. Escúrrala y pásela a una fuente precalentada. Ponga encima la mantequilla y remueva con 2 tenedores. Vierta las albóndigas con su salsa sobre la pasta y sírvala de inmediato.

espaguetis con salsa de ricota

para 4 personas

350 g de espaguetis

3 cucharadas de mantequilla

2 cucharadas de perejil fresco
   picado

1 cucharada de piñones

sal y pimienta

1 ramita de perejil para decorar

SALSA DE RICOTA

115 g de almendras recién molidas

115 g de queso ricota

una pizca de nuez moscada
   rallada

una pizca de canela molida

150 ml de nata fresca espesa

2 cucharadas de aceite de oliva

125 ml de caldo de pollo caliente

1 En una cazuela grande, ponga a hervir agua con sal a fuego medio. Añada la pasta y cuézala unos 8-10 minutos, hasta que esté *al dente*.

2 Escurra la pasta, vuelva a ponerla en la cazuela y aderécela con la mantequilla y el perejil. Resérvela caliente.

3 Para preparar la salsa de ricota, mezcle en un cacito la almendra molida, el queso, la nuez moscada, la canela y la nata. Caliéntelo a fuego suave y remueva hasta que se forme una pasta espesa. Incorpore el aceite poco a poco. Cuando todo el aceite haya sido absorbido, vierta el caldo, también gradualmente, hasta obtener una salsa suave.

4 Ponga la pasta en una fuente precalentada, vierta por encima la salsa y remueva con 2 tenedores (véase *Sugerencia*). Esparza los piñones por encima, decore con una ramita de perejil y sírvala sin dilación.

SUGERENCIA

Utilice 2 tenedores para remover los espaguetis o cualquier otra pasta larga, pues así toda quedará recubierta de salsa. Existen unos tenedores especialmente diseñados para remover espaguetis, que se venden en la sección de utensilios de cocina de los grandes almacenes y en algunos comercios especializados.

plumas con chayote

para 4 personas

2 cucharadas de aceite de oliva

1 diente de ajo chafado

55 g de pan recién rallado

500 g de chayote, pelado y sin
    semillas

8 cucharadas de agua

500 g de plumas u otra pasta fresca

1 cucharada de mantequilla

1 cebolla cortada en rodajas

115 g de jamón en dulce cortado
    en tiras

200 ml de nata líquida

55 g de queso cheddar recién rallado

2 cucharadas de perejil fresco
    picado

sal y pimienta

1 Mezcle el aceite, el ajo y el pan rallado y espárzalo en un plato. Caliéntelo en el microondas, a potencia alta, durante 4-5 minutos, removiendo cada minuto, hasta que esté crujiente y empiece a dorarse. Sáquelo del microondas y resérvelo.

2 Corte el chayote en dados y póngalo en un cuenco grande con la mitad del agua. Cuézalo en el microondas, tapado y a potencia alta, durante 8-9 minutos, removiendo de vez en cuando. Déjelo reposar 2 minutos.

3 Ponga la pasta en un cuenco grande, añada un poco de sal y vierta suficiente agua hirviendo para que quede dos dedos por encima. Tape el cuenco y cueza la pasta a potencia alta durante 5 minutos, removiendo una vez. Recuerde que debe tierna, pero firme. Antes de escurrirla, déjela reposar, tapada, durante 1 minuto.

4 Ponga la mantequilla y la cebolla en un cuenco grande, tápelo y cuézala a potencia alta 3 minutos.

5 Chafe el chayote con un tenedor y mézclelo con la cebolla, la pasta, el jamón, la nata, el queso, el perejil y el resto del agua. Salpimente y remueva bien. Tape el cuenco y cuézalo todo a potencia alta durante 4 minutos. Sirva la pasta en una fuente precalentada.

espaguetis olio e aglio

para 4 personas

125 ml de aceite de oliva

3 dientes de ajo chafados

450 g de espaguetis frescos

3 cucharadas de perejil fresco
    picado grueso

sal y pimienta

SUGERENCIA

El aceite de oliva de cada país productor, principalmente Italia, España y Grecia, incluso de cada región y variedad de aceituna, tiene sus propias características. El sabor de algunos es intenso y picante, mientras que el de otros es bastante suave.

1 Reserve 1 cucharada del aceite y caliente el resto en un cazo a fuego lento. Fría el ajo, con un pellizco de sal, hasta que tenga un bonito color dorado. Aparte el cazo del fuego. Sobre todo, no deje que el ajo se queme porque echaría a perder el sabor del aceite (si eso llega a ocurrir, más vale que lo tire y vuelva a empezar).

2 Mientras tanto, en una cazuela grande, ponga a hervir agua con sal. Añada la cucharada de aceite y los espaguetis y cuézalos durante unos 2-3 minutos, o hasta que estén tiernos, pero no blandos. Escurra la pasta y vuelva a ponerla en la cazuela.

3 Vierta sobre los espaguetis el aceite aromatizado al ajo y remueva con 2 tenedores para que toda la pasta quede bien impregnada. Salpimente, añada el perejil picado y remueva de nuevo.

4 Pase la pasta a una fuente precalentada y sírvala de inmediato.

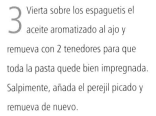

pasta con hortalizas verdes

para 4 personas

225 g de espirales u otra pasta de
tamaño similar

1 brécol cortado en ramitos

2 calabacines cortados en rodajas

225 g de espárragos

115 g de tirabeques

115 g de guisantes congelados

2 cucharadas de mantequilla

3 cucharadas de caldo de verduras

4 cucharadas de nata espesa

nuez moscada recién rallada

2 cucharadas de perejil fresco picado

2 cucharadas de queso parmesano
recién rallado

sal y pimienta

1 En una cazuela grande, ponga
a hervir agua con sal a fuego
medio. Añada la pasta y cuézala unos
8-10 minutos, hasta que esté al dente.
Escúrrala, vuelva aponerla en la cazuela
y resérvela caliente.

2 Ponga el brécol, el calabacín, los
espárragos y los tirabeques en el
colador de un recipiente para cocción
al vapor con agua salada hirviendo en
la parte inferior, y cueza las hortalizas
hasta que empiecen a ablandarse.
Refrésquelas con agua fría y escúrralas.

3 Ponga a hervir agua con sal a
fuego medio en un cazo pequeño
y cueza los guisantes 3 minutos.
Escúrralos, refrésquelos bajo el chorro
de agua fría y vuelva a escurrirlos.
Resérvelos con las otras hortalizas.

4 Ponga la mantequilla y el caldo
en una cazuela y, a fuego medio,
rehogue todas las hortalizas, excepto
unos cuantos espárragos, para
calentarlas bien. Remueva con una
cuchara de madera, con cuidado para
no romperlas.

5 Añada la nata y caliéntelo, pero
sin que llegue a hervir. Sazone
con sal, pimienta y nuez moscada.

6 Pase la pasta a una fuente grande
precalentada e incorpore el perejil
picado. Disponga por encima las
hortalizas y espolvoree la superficie
con queso parmesano. Decore con los
espárragos reservados y sirva el plato
inmediatamente.

pasta con queso y brécol

para 4 personas

300 g de tallarines tricolores

225 g de brécol, cortado
en ramitos

350 g de queso mascarpone

125 g de queso azul desmenuzado

1 cucharada de orégano fresco
picado

25 g de mantequilla

sal y pimienta

queso parmesano recién rallado
para servir

1 En una cazuela grande, ponga a hervir agua con sal a fuego medio. Añada la pasta y cuézala hasta que esté tierna, pero firme.

2 Cueza el brécol con un poco de agua hirviendo ligeramente salada. Evite hacerlo en exceso para que conserve su color y textura.

3 En un cazo, funda juntos, a fuego muy lento, el mascarpone y el queso azul. Incorpore el orégano picado y salpimente al gusto.

4 Escurra la pasta y vuelva a ponerla en la cazuela. Añada la mantequilla y, con 2 tenedores, remueva para recubrirla bien. Escurra el brécol e incorpórelo a la pasta junto con la salsa. Mezcle bien.

5 Reparta la pasta entre 4 platos precalentados, adórnelos con ramitas de orégano fresco y sírvalos inmediatamente, con parmesano rallado para aderezar al gusto.

pasta con salsa de verduras

para 4 personas

3 cucharadas de aceite de oliva

1 cebolla cortada en rodajas

2 dientes de ajo chafados

3 pimientos rojos, sin semillas
   y cortados en tiras

3 calabacines cortados en rodajas

400 g de tomate troceado de lata

3 cucharadas de pasta de tomate
   secado al sol

2 cucharadas de albahaca fresca
   picada

225 g de espirales frescas

125 g de queso gruyer recién rallado

sal y pimienta

4 ramitas de albahaca para decorar

1 Caliente el aceite a fuego medio en una sartén grande o una cazuela y sofría la cebolla y el ajo, removiendo de vez en cuando, hasta que estén tiernos. Añada el pimiento y el calabacín y sofría 5 minutos más.

2 Agregue el tomate, la pasta de tomate secado al sol, la albahaca, sal y pimienta. Tape el recipiente y rehóguelo durante 5 minutos.

3 Mientras tanto, en una cazuela grande, ponga a hervir agua con sal a fuego medio. Añada la pasta y cuézala durante 5 minutos o hasta que esté tierna, pero no blanda. Escúrrala y mézclala con la salsa. Remueva suavemente para impregnarla bien.

4 Pase la pasta a una fuente llana que vaya al horno y espolvoréela con el gruyer rallado.

5 Gratínela bajo el grill precalentado durante 5 minutos o hasta que el queso se dore y burbujee. Sirva la pasta en los platos precalentados, adornada con ramitas de albahaca.

tallarines con salsa al ajo

para 4 personas

2 cucharadas de aceite de nuez

1 manojo de cebolletas, en rodajas

2 dientes de ajo, en rodajas finas

225 g de champiñones, en láminas

500 g de tallarines frescos, verdes
   y blancos

225 g de espinacas congeladas,
   descongeladas, escurridas y
   picadas

125 g de queso tierno con toda su
   grasa al ajo y a las hierbas

4 cucharadas de nata líquida

55 g de pistachos sin sal, picados

2 cucharadas de albahaca fresca
   cortada en tiras

4 ramitas de albahaca para decorar

pan italiano para acompañar

1 Caliente el aceite en una sartén a fuego lento y sofría la cebolleta y el ajo durante 1 minuto o hasta que empiecen a ablandarse. Añada los champiñones, remueva, tápelo y rehóguelo durante 5 minutos.

2 En una cazuela grande, ponga a hervir agua con sal a fuego medio. Añada la pasta y cuézala durante 3-5 minutos, o hasta que esté en su punto. Escúrrala y vuelva a ponerla en la cazuela.

3 Mezcle las espinacas con los champiñones y caliéntelo durante 1-2 minutos. Añada el queso y deje que se funda ligeramente. Incorporé la nata y caliéntelo, pero sin dejar que llegue a hervir.

4 Vierta la salsa sobre la pasta, salpimente y remueva. Caliéntelo a fuego lento, removiendo, durante 2-3 minutos

5 Reparta la pasta entre 4 platos precalentados y esparza por encima el pistacho picado y las tiras de albahaca. Adórnelos con una ramita de albahaca fresca y sírvalos con pan italiano para acompañar.

cintas con salsa de tomate picante

para 4 personas

50 g de mantequilla

1 cebolla picada

1 diente de ajo chafado

2 guindillas rojas frescas pequeñas,
despepitadas y picadas

450 g de tomates, pelados,
despepitados y cortados en dados

200 ml de caldo de verduras

2 cucharadas de pasta de tomate

1 cucharadita de azúcar

650 g de cintas frescas verdes
y blancas, o 350 g de cintas
secas

sal y pimienta

VARIACIÓN

Cubra la pasta con 50 g de
panceta o beicon sin ahumar en
daditos; dórelos en la sartén sin
grasa añadida durante 5 minutos
o hasta que estén crujientes.

1 Derrita la mantequilla en una sartén grande, a fuego medio-bajo y sofría la cebolla y el ajo unos 3-4 minutos o hasta que se ablanden.

2 Añada la guindilla y sofría durante 2 minutos más.

3 Agregue el tomate y el caldo y cuézalo a fuego lento durante 10 minutos, removiendo de vez en cuando.

4 En una batidora, triture la preparación durante 1 minuto o hasta obtener una salsa fina. Si lo prefiere, pásela por el chino.

5 Ponga la salsa en la cazuela y añada la pasta de tomate y el azúcar. Salpimente al gusto. Caliéntela a fuego lento.

6 En una cazuela grande, ponga a hervir agua con sal a fuego medio. Añada la pasta y cuézala hasta que esté tierna, pero no blanda. Escúrrala, repártala entre 4 platos precalentados y sírvala con la salsa.

tallarines con calabaza

para 4 personas

500 g de calabaza o de chayote

2 cucharadas de aceite de oliva

1 cebolla picada

2 dientes de ajo chafados

4-6 cucharadas de perejil fresco
    picado

una buena pizca de nuez moscada
    recién rallada

unos 250 ml de caldo de pollo
    o de verduras

125 g de jamón curado, cortado en
    tiras estrechas

275 g de tallarines verdes o blancos
    frescos

150 ml de nata espesa

sal y pimienta

queso parmesano recién rallado
    para acompañar

1 Pele la calabaza y extraiga las semillas y las membranas. Corte la pulpa en dados de 1 cm de lado.

2 Caliente el aceite en una sartén a fuego lento y sofría la cebolla y el ajo hasta que se ablanden. Añada la mitad del perejil y fríalo durante 1-2 minutos.

3 Agregue la calabaza y sofría durante 2-3 minutos. Salpimente y aderece con nuez moscada.

4 Añada la mitad del caldo, llévelo a ebullición a fuego medio y cuézalo a fuego lento, tapado unos 10 minutos o hasta que la calabaza esté tierna; añada caldo si es necesario. Incorpore el jamón y cuézalo 2 minutos más, removiendo varias veces.

5 Mientras tanto, en una cazuela grande, ponga a hervir agua con ·sal a fuego medio. Añada la pasta y cuézala hasta que esté *al dente*. Escúrrala y pásela a una fuente precalentada.

6 Incorpore la nata en la salsa y caliéntela a fuego lento. Salpimente y viértala sobre la pasta. Espolvoree con el resto del perejil y sírvala con queso parmesano.

fettuccini all'alfredo

para 4 personas

25 g de mantequilla

200 ml de nata espesa

450 g de cintas frescas

85 g de queso parmesano recién
    rallado, y algo más para servir

una pizca de nuez moscada recién
    rallada

sal y pimienta

1 ramita de perejil fresco para
    adornar

VARIACIÓN

A este clásico plato de pasta
romano se le suelen añadir tiras
de jamón y guisantes frescos.
Ponga 225 g de guisantes
cocidos y 175 g de tiras de jamón
junto con el queso, en el paso 4.

---

1 Ponga la mantequilla y 150 ml de
la nata en un cazo grande y llévelo
a ebullición a fuego medio. Después,
cuézalo a fuego lento durante
1½ minutos o hasta que la salsa
se haya espesado ligeramente.

2 Mientras tanto, en una cazuela
grande, ponga a hervir agua con
sal a fuego medio. Añada la pasta y
cuézala durante 2-3 minutos o hasta
que esté tierna, pero firme. Escúrrala,
vuelva a ponerla en la cazuela y vierta
por encima la salsa cremosa.

3 Caliente la pasta a fuego suave,
removiendo para que quede bien
impregnada de salsa.

4 Añada el resto de la nata, el queso
parmesano y la nuez moscada.
Salpimente generosamente. Remueva
la pasta mientras sigue calentándola
a fuego lento.

5 Disponga la pasta en una fuente
precalentada y adórnela con una
ramita de perejil. Sírvala de inmediato,
y lleve también a la mesa un bol con
queso parmesano rallado para que
quien lo desee pueda servirse.

cintas con salsa de nueces

para 4-6 personas

2 rebanadas gruesas de pan integral
   sin la corteza

300 ml de leche

275 g de nueces peladas

2 dientes de ajo chafados

115 g de aceitunas negras sin hueso

55 g de parmesano recién rallado

8 cucharadas de aceite de oliva
   virgen extra

150 ml de nata espesa

450 g de cintas frescas

sal y pimienta

2-3 cucharadas de perejil picado

1 Ponga las rebanadas de pan en una fuente, vierta la leche por encima y déjelas en remojo hasta que el líquido haya sido absorbido.

2 Extienda las nueces en una bandeja de horno y tuéstelas en el horno precalentado a 190 ºC durante 5 minutos, o hasta que se doren. Deje que se enfríen.

3 En un robot de cocina o una batidora, triture el pan remojado, con las nueces, el ajo, las aceitunas, el parmesano y 6 cucharadas de aceite hasta obtener una pasta bien amalgamada. Salpimente e incorpore la nata.

4 En una cazuela grande, ponga a hervir agua con sal. Añada la pasta y cuézala 2-3 minutos, o hasta que esté al dente. Escúrrala y rocíela con el resto del aceite.

5 Reparta la pasta entre los platos precalentadoas y cúbrala con la salsa. Esparza por encima el perejil picado y sírvala inmediatamente.

pasta con tomate y guindilla

para 4 personas

275 g de *pappardelle*

3 cucharadas de aceite de nuez

2 dientes de ajo chafados

2 chalotes cortados en rodajas

225 g de judías verdes troceadas

100 g de tomates cereza

1 cucharadita de guindilla majada

4 cucharadas de crema de cacahuete

150 ml de leche de coco

1 cucharada de pasta de tomate

VARIACIÓN

Para una comida de plato único, saltee en el paso 3 trocitos de pollo o de ternera junto con las judías verdes y la pasta.

---

1 En una cazuela grande, ponga a hervir agua con sal a fuego medio. Añada la pasta y cuézala unos 8-10 minutos, o hasta que esté *al dente*. Escúrrala bien y resérvela.

2 Mientras tanto, caliente un wok grande a fuego medio. Añada el aceite, caliéntelo y saltee el ajo y los chalotes durante 1 minuto.

3 Añada las judías y saltee durante 5 minutos. Agregue la pasta y los tomates cereza partidos por la mitad; mezcle bien.

4 Mezcle en un bol la guindilla, la crema de cacahuete, la leche de coco y la pasta de tomate. Viértalo en el wok y remueva.

5 Reparta la pasta entre 4 platos precalentados y sírvala a la mesa inmediatamente.

pasta con guindilla y pimiento rojo

para 4 personas

2 pimientos rojos, despepitados
   y cortados por la mitad

1 guindilla roja pequeña, sin semillas

4 tomates, cortados por la mitad

2 dientes de ajo

55 g de almendra molida

7 cucharadas de aceite de oliva

650 g de pasta fresca o 350 g de
   pasta seca

hojas de orégano fresco para adornar

VARIACIÓN

Si lo desea, añada 2 cucharadas
de vinagre de vino tinto a la salsa
y utilícela para aliñar una
ensalada de pasta fría.

---

1 En una placa de horno, ponga los pimientos, los tomates, la guindilla y los ajos. Áselos bajo el grill precalentado unos 15 minutos, hasta que se chamusquen. A los 10 minutos, gire los tomates. Ponga los pimientos y la guindilla en una bolsa de plástico y espere 10 minutos.

2 Pele los pimientos y la guindilla y corte la pulpa en tiras. Pele el ajo y pele y despepite los medios tomates.

3 Ponga la almendra molida en una bandeja de horno y tuéstela bajo el grill durante 2-3 minutos, o hasta que esté dorada.

4 En una batidora, triture el pimiento, la guindilla, el ajo y el tomate y haga un puré. Con el aparato a potencia lenta, vaya añadiendo aceite hasta obtener una salsa fina. Si lo prefiere, póngalo todo en un cuenco, cháfelo con un tenedor y añada el aceite gota a gota.

5 Incorpore en la salsa la almendra molida tostada y caliéntela en un cazo.

6 En una cazuela grande, ponga a hervir agua con sal. Añada la pasta y cuézala hasta que esté *al dente*. Escúrrala y pásala a una fuente precalentada. Vierta por encima la salsa y remueva para que se mezclen bien. Adórnela con hojitas de orégano fresco y sírvala.

pasta con verduras y tofu

para 4 personas

225 g de espárragos

115 g de tirabeques

225 g de judías verdes

1 puerro

225 g de habas pequeñas sin la vaina

300 g de espirales

2 cucharadas de aceite de oliva

1 cucharada de mantequilla o
   margarina

1 diente de ajo chafado

225 g de tofu escurrido cortado en
   dados de 2,5 cm

55 g de aceitunas verdes en
   salmuera, escurridas y deshuesadas

sal y pimienta

queso parmersano recién rallado
   para servir

1 Limpie los espárragos y córtelos
en trozos de 2,5 cm. Corte los
tirabeques en rodajitas diagonales, y
las judías verdes también en trozos
de 2,5 cm. Corte el puerro en rodajas
finas.

2 En una cazuela grande, ponga a
hervir agua con sal y cueza los
espárragos, las judías y las habas.
Desde el momento en que el agua

vuelva a hervir, cuézalos durante unos
4 minutos. Escurra luego las verduras,
aclárelas con agua fría y vuelva a
escurrirlas. Resérvelas.

3 En otra cazuela, ponga también a
hervir agua salada. Añada la pasta
y cuézala durante 8-10 minutos, o
hasta que esté tierna, pero no blanda.
Escúrrala bien. Rocíela con 1 cucharada
de aceite y salpimente al gusto.

4 Mientras tanto, caliente el resto
del aceite y la mantequilla o la
margarina en un wok, a fuego lento, y
sofría el puerro, el ajo y el tofu durante
1-2 minutos, o hasta que los vegetales
se hayan ablandado.

5 Incorpore los tirabeques y sofríalo
todo durante 1 minuto más.

6 Ponga en el wok las verduras
escaldadas y las aceitunas y
caliéntelo 1 minuto. Incorpore con
cuidado la pasta, remueva y rectifique
la sazón si lo considera oportuno.
Caliéntelo todo durante 1 minuto y a
continuación disponga la preparación
en una fuente de servicio. Sírvala
inmediatamente, con un bol con queso
parmesano rallado.

pasta con nueces y queso

para 4 personas

55 g de piñones

350 g de lazos

2 calabacines cortados en rodajas

125 g de brécol, en ramitos

200 g de queso tierno graso

150 ml de leche

1 cucharada de albahaca fresca
    picada

125 g de champiñones pequeños,
    cortados en láminas

85 g de queso azul desmenuzado

sal y pimienta

1 ramita de albahaca para decorar

ensalada verde para acompañar

1 Ponga los piñones en una placa de horno y dórelos bajo el grill precalentado, removiendo de vez en cuando. Resérvelos.

2 En una cazuela grande, ponga a hervir agua con sal. Añada la pasta y cuézala hasta que esté *al dente*.

3 Mientras tanto, cueza el calabacín y el brécol con un poco de agua hirviendo ligeramente salada, durante unos 5 minutos o hasta que estén tiernos.

4 Ponga el queso tierno en un cazo y caliéntelo suavemente, removiendo. Vierta la leche y remueva. Añada la albahaca y los champiñones y cuézalos 2-3 minutos. Agregue el queso azul y salpimente.

5 Escurra la pasta y las verduras y mézclelas en una fuente. Vierta la salsa y esparza los piñones por encima. Remueva con delicadeza para mezclar. Adorne con albahaca y sirva la pasta con una ensalada verde.

pasta con salsa de tomate a la italiana

para 2 personas

1 cucharada de aceite de oliva

1 cebolla pequeña picada

1-2 dientes de ajo chafados

350 g de tomates, pelados y picados

2 cucharaditas de pasta de tomate

2 cucharadas de agua

350 g de pasta corta, por ejemplo
macarrones o lazos

85 g de beicon magro, sin corteza
y cortado en daditos

40 g de champiñones cortados
en láminas

1 cucharada de perejil fresco picado
o 1 cucharadita de cilantro

2 cucharadas de nata agria o
de queso fresco (opcional)

sal y pimienta

SUGERENCIA

La nata agria tiene un contenido
de grasa del 18-20%, de modo
que si se sigue una dieta baja
en calorías habrá que omitirla o
sustituirla por una menos grasa.

1 Caliente el aceite en un cazo, a fuego lento, y sofría la cebolla y el ajo hasta que estén tiernos.

2 Añada el tomate, la pasta de tomate y el agua. Salpimente y llévelo a ebullición a fuego lento. Tape el recipiente y cuézalo durante 10 minutos.

3 En una cazuela grande, ponga a hervir agua con sal a fuego medio. Añada la pasta y cuézala hasta que esté *al dente*. Escúrrala y repártala entre 2 platos precalentados.

4 Caliente el beicon en una sartén a fuego suave, hasta que suelte su propia grasa; entonces, añada los champiñones y sofríalos 3-4 minutos. Escurra el exceso de grasa.

5 Añada a la salsa de tomate el beicon y los champiñones, junto con el perejil picado y la nata agria (si la usa). Caliéntela y sírvala de inmediato con la pasta.

tortitas de maíz y macarrones

para 4 personas

2 mazorcas de maíz

4 cucharadas de mantequilla

115 g de pimiento rojo, sin pepitas
y cortado en daditos

275 g de alguna pasta de tamaño
pequeño

150 ml de nata espesa

25 g de harina

4 yemas de huevo

4 cucharadas de aceite de oliva

sal y pimienta

PARA ACOMPAÑAR

setas de ostra

puerro frito

1 En una cazuela, ponga a hervir agua a fuego medio. Sumerja las mazorcas y cuézalas 8 minutos. Escúrralas y refrésquelas bajo el chorro de agua fría. Desgrane las mazorcas sobre papel de cocina y deje que los granos se sequen.

2 Derrita 2 cucharadas de mantequilla en una sartén, a fuego lento, y sofría el pimiento durante 4 minutos. Escúrralo y enjúguelo con papel de cocina.

3 En una cazuela grande, ponga a hervir agua con sal a fuego medio. Añada la pasta y cuézala hasta que esté al dente. Escúrrala y resérvela sumergida en agua fría.

4 En un bol, bata la nata con la harina, sal y las yemas de huevo hasta obtener una pasta lisa. Añada el maíz y el pimiento. Escurra la pasta e incorpórela. Salpimente.

5 En una sartén, caliente a fuego medio el resto de la mantequilla y el aceite. Deje caer cucharadas de pasta en la sartén y ejerza presión con una espátula para formar una tortita. Dórela bien. Acabe así la pasta y sirva las tortitas acompañadas con setas de ostra y puerro fritos.

1

4

5

macarrones a los tres quesos

para 4 personas

600 ml de bechamel o salsa blanca

225 g de macarrones

1 huevo batido

125 g de queso cheddar curado
recién rallado

1 cucharada de mostaza de grano
entero

2 cucharadas de cebollino fresco
picado

4 tomates cortados en rodajas

125 g de queso leicester recién
rallado

55 g de queso azul desmenuzado

2 cucharadas de pipas de girasol

cebollino fresco picado para decorar

1 Prepare la salsa bechamel o la salsa blanca y resérvela en un cuenco tapada con plástico de cocina.

2 En una cazuela grande, ponga a hervir agua con sal a fuego medio. Añada los macarrones y cuézalos durante 8-10 minutos, o hasta que estén tiernos, pero no blandos. Escúrralos y póngalos en una fuente que pueda ir al horno engrasada.

3 Incorpore en la salsa el huevo, el queso cheddar, la mostaza y el cebollino. Salpimente al gusto.

4 Vierta la salsa sobre la pasta, de modo que quede bien cubierta. Disponga los tomates en rodajas formando una capa sobre la salsa.

5 Esparza el queso leicester, el azul y las pipas de girasol sobre la capa de tomate. Ponga la fuente sobre una placa de horno y cuézalo en el horno precalentado a 190 ºC durante 25-30 minutos, o hasta que la cobertura burbujee y esté dorada.

6 Decore el horneado con cebollino picado y repártalo de inmediato entre 4 platos calientes.

espaguetis con salsa de salmón

para 4 personas

500 g de espaguetis de alforfón

2 cucharadas de aceite de oliva

85 g de queso feta desmigajado
   (pesado escurrido)

1 cucharada de cilantro o de
   perejil fresco picado, para
   adornar

SALSA DE SALMÓN

300 ml de nata espesa

150 ml de whisky o brandy

125 g de salmón ahumado

una buena pizca de cayena molida

2 cucharadas de cilantro o de
   perejil fresco, picado

sal y pimienta

1 En una cazuela grande, ponga a hervir agua con sal a fuego medio. Añada la pasta y cuézala durante 8-10 minutos o hasta que esté en su punto. Escúrrala y vuelva a ponerla en la cazuela. Rocíela con el aceite, tape la cazuela y sacúdala. Reserve la pasta caliente hasta que la necesite.

2 Para preparar la salsa, caliente bien en cacillos separados, pero sin que lleguen a hervir, la nata y el whisky o el brandy.

3 Mezcle en un bol los dos líquidos calientes.

4 Corte el salmón ahumado en tiras finas e incorpórelas en la salsa cremosa al licor. Sazone con un poco de pimienta y de cayena, e incorpore el cilantro o el perejil picados.

5 Pase la pasta a una fuente grande precalentada, vierta por encima la salsa y remueva con 2 tenedores grandes. Esparza sobre la pasta el queso feta desmigajado y adórnela con el cilantro picado. Sírvala a la mesa inmediatamente.

212

fideos con salsa de almejas

para 4 personas

400 g espaguetis u otra pasta larga

25 g de mantequilla

2 cucharadas de aceite de oliva

2 cebollas picadas

2 dientes de ajo picados

400 g de almejas en salmuera

125 ml de vino blanco

4 cucharadas de perejil fresco picado

½ cucharadita de orégano seco

una pizca de nuez moscada rallada

sal y pimienta

PARA DECORAR

2 cucharadas de virutas de

  parmesano

1 ramita de albahaca fresca

rodajas de limón

1 En una cazuela grande, ponga a hervir agua con sal a fuego medio. Cueza la pasta hasta que esté en su punto. Escúrrala, vuelva a ponerla en la cazuela e incorpore la mantequilla y la mitad del aceite. Tape la cazuela, sacúdala y manténgala al calor.

2 Caliente el resto del aceite en un cazo, a fuego medio, y sofría la cebolla hasta que esté translúcida. Añada el ajo y sofría 1 minuto más.

3 Cuele sobre un bol el líquido de la lata de las almejas. Vierta la mitad de ese líquido, junto con el vino blanco, en la cazuela del sofrito. Deseche la otra mitad. Remueva y cueza la salsa durante 3 minutos.

4 Ponga en la cazuela las almejas, el perejil y el orégano, y sazone con pimienta y nuez moscada. Mantenga la salsa a fuego lento hasta que se haya calentado por completo.

5 Pase la pasta a una fuente de servicio precalentada y vierta por encima la salsa. Esparza por la superficie las virutas de queso parmesano y decore con 1 ramita de albahaca y rodajas de limón. Sirva el plato inmediatamente.

pasta con salsa de mejillones

para 6 personas

400 g de pasta de tamaño pequeño,
   por ejemplo conchas
SALSA DE MEJILLONES
2 kg de mejillones, limpios
250 ml de vino blanco seco
2 cebollas grandes picadas
125 g de mantequilla
6 dientes de ajo grandes, picados
5 cucharadas de perejil fresco picado
300 ml de nata espesa
sal y pimienta

1 Para preparar la salsa, acabe de limpiar y raspar bien los mejillones y aclárelos varias veces. Deseche los que no se cierren al golpearlos. En una cazuela, caliente a fuego medio el vino y la mitad de la cebolla. Cuando hierva, añada los mejillones, remueva, tape la cazuela y cuézalos durante 3 minutos o hasta que se hayan abierto. Remueva o sacuda la cazuela durante la cocción.

2 Aparte la cazuela del fuego y extraiga los mejillones con una espumadera, reservando el líquido de cocción. Deje que se enfríen un poco para poder manejarlos, y deseche todo aquel que no se haya abierto.

3 Derrita la mantequilla en un cazo a fuego medio, y sofría el resto de la cebolla durante 3-4 minutos o hasta que esté translúcida. Añada el ajo y sofría 1 minuto más. Incorpore poco a poco el líquido de cocción reservado y filtrado y, después, el perejil picado y la nata. Salpimente al gusto y lleve la salsa a ebullición. Pruébela y rectifique la sazón si es necesario. En una cazuela grande, ponga a hervir agua con sal a fuego medio.

4 Cueza la pasta hasta que esté lista. Escúrrala, vuelva a ponerla en la cazuela y resérvela caliente.

5 Saque los mejillones de sus valvas, pero reserve algunos adheridos. Incorpore los mejillones en la salsa. Ponga la pasta en una fuente, vierta la salsa por encima y mezcle. Adórnela con los mejillones enteros reservados y sírvala.

pasta con almejas

para 4 personas

650 g de almejas frescas o 280 g de
   almejas en salmuera, escurridas

2 cucharadas de aceite de oliva

2 dientes de ajo picados

400 g de marisco surtido preparado
   (gambas, calamar y mejillones),
   descongelado si es congelado

150 ml de vino blanco

150 ml de caldo de pescado

650 g de espirales u otra pasta
   de tamaño similar

2 cucharadas de estragón fresco
   picado

sal y pimienta

VARIACIÓN

Puede preparar una salsa de
almejas roja añadiendo, en el
paso 4, 8 cucharadas de *passata*
junto con el caldo de pescado.
Prosiga con la receta.

---

1 Si utiliza almejas frescas, frótelas
para limpiarlas bien y deseche
cualquiera que no se cierre.

2 Caliente el aceite en una sartén
grande a fuego medio y rehogue
el ajo y las almejas durante 2 minutos,
removiendo y sacudiendo la sartén
para que las almejas queden bien
recubiertas de aceite.

3 Añada el marisco surtido y sofría
durante unos 2 minutos.

4 Vierta el vino y el caldo sobre
el sofrito de marisco y llévelo
a ebullición a fuego medio. Tape el
recipiente, reduzca la temperatura
y prolongue la cocción durante
8-10 minutos o hasta que las almejas
se abran. Deseche cualquier almeja
o concha que no se abra.

5 Mientras tanto, ponga a hervir
agua con sal en una cazuela
grande y cueza la pasta hasta que esté
tierna, sin que llegue a reblandecerse.
Escúrrala.

6 Incorpore el estragón a la salsa
y salpimente.

7 Pase la pasta a una fuente y vierta
la salsa por encima. Sírvala a la
mesa inmediatamente.

pasta con calamares

para 6 personas

225 g de macarrones u otra pasta
   de tamaño similar

2 cucharadas de perejil fresco
   picado

sal y pimienta

SALSA

6 cucharadas de aceite de oliva

2 cebollas cortadas en rodajas

350 g de calamares limpios,
   cortados en aros anchos

250 ml de caldo de pescado

150 ml de vino tinto

350 g de tomates, pelados y
   cortados en rodajas finas

2 cucharadas de pasta de tomate

1 cucharadita de orégano seco

2 hojas de laurel

1 En una cazuela grande, ponga a hervir agua con sal a fuego medio y cueza la pasta unos 3 minutos. Escúrrala, vuelva a ponerla en la cazuela, tápela y resérvela caliente.

2 Para hacer la salsa, caliente el aceite en una sartén a fuego medio y sofría la cebolla hasta que esté translúcida. Añada los calamares y el caldo y cuézalo 5 minutos. Agregue el vino, el tomate, la pasta de tomate, el orégano y el laurel. Llévelo a ebullición, salpimente y cuézalo destapado durante 5 minutos.

3 Añada la pasta, remueva bien, tape la cazuela y cuézalo otros 10 minutos o hasta que los macarrones y los calamares estén casi tiernos. La salsa debe quedar espesa, como un almíbar. Si está demasiado clara, destape la cazuela y prolongue la cocción unos minutos. Pruebe la salsa y rectifique la sazón si es necesario.

4 Saque el laurel y deséchelo. Añada la mayor parte del perejil picado. Sirva la pasta en una fuente, espolvoreada con el resto de perejil.

pasta con salsa siciliana

para 4 personas

450 g de tomates

25 g de piñones

50 g de sultanas

50 g de filetes de anchoa, escurridos
y cortados por la mitad a lo largo

2 cucharadas de pasta de tomate

650 g de plumas (u otra pasta de
tamaño similar) frescas o 350 g
si son secas

SUGERENCIA

Si prepara usted la pasta fresca,
hágalo en un ambiente cálido
y manipúlela con soltura.
No deje que se enfríe y
evite amasarla sobre una
superficie de mármol.

1 Ponga los tomates cortados por la
mitad bajo el grill precalentado y
áselos durante 10 minutos. Deje que se
entibien y, cuando pueda manejarlos,
pélelos y corte la pulpa en daditos.

2 Ponga los piñones en una
bandeja de horno y tuéstelos
ligeramente bajo el grill 2-3 minutos
o hasta que estén dorados.

3 Ponga las sultanas en un cuenco,
remójelas con agua templada
durante 20 minutos y escúrralas.

4 Ponga el tomate, los piñones
y las sultanas en una cazuela
y caliéntelo.

5 Incorpore las anchoas y la pasta
de tomate y caliéntelo despacio.

6 En una cazuela grande, ponga a
hervir agua con sal a fuego medio.
Cueza la pasta hasta que esté en su
punto. Escúrrala.

7 Pase la pasta a una fuente y
sírvala en el acto con la salsa
siciliana bien caliente.

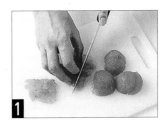

risotto a la milanesa

para 4 personas

2 pizcas de hebras de azafrán

85 g de mantequilla

1 cebolla grande picada

1-2 dientes de ajo chafados

350 g de arroz *arborio*

150 ml de vino blanco seco

1,2 litros de caldo de verduras
   hirviendo

85 g de queso parmesano recién
   rallado

sal y pimienta

1 Ponga 2 pizcas de azafrán en un bol pequeño, cúbralas con 3-4 cucharadas de agua hirviendo y déjelas en remojo mientras prepara el *risotto*.

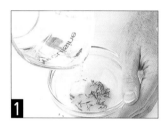

2 Derrita 55 g de la mantequilla en una cazuela a fuego lento y sofría la cebolla y el ajo hasta que se ablanden, pero sin dorarse. Añada el arroz y sofríalo 2-3 minutos, o hasta esté recubierto de grasa y tome color.

3 Vierta el vino sobre el arroz y cuézalo suavemente, removiendo de vez en cuando, hasta que el líquido haya sido absorbido.

4 Añada un cucharón (150 ml) del caldo caliente. Antes de añadir más, cueza el arroz, sin dejar de remover, hasta que el líquido haya sido absorbido.

5 Cuando todo el caldo se haya absorbido (será al cabo de unos 20 minutos), el arroz deberá estar hecho, pero no blando ni pastoso. Añada el líquido con el azafrán, el parmesano y el resto de la mantequilla. Salpimente al gusto y cuézalo durante

2 minutos más, para que el arroz quede bien amalgamado y muy caliente.

6 Tape la cazuela y deje reposar el *risotto* 5 minutos fuera del fuego. Transcurrido ese tiempo, remuévalo con viveza y sírvalo inmediatamente.

risotto con tomates secados al sol

para 6 personas

unos 12 tomates secados al sol,
no conservados en aceite

2 cucharadas de aceite de oliva

1 cebolla grande picada

4-6 dientes de ajo picados

400 g de arroz *arborio* o *carnaroli*

1,5 litros de caldo de pollo o de
verduras hirviendo

115 g de guisantes congelados,
descongelados

2 cucharadas de perejil fresco picado

115 g de queso pecorino rallado

1 cucharada de aceite de oliva
virgen extra

1 En un bol, remoje los tomates secos con agua 30 minutos o hasta que estén blandos. Escúrralos y séquelos con papel de cocina; después, córtelos en tiras finas y resérvelos.

2 Caliente el aceite en una sartén a fuego medio y sofría la cebolla 2 minutos, hasta que se ablande. Añada el ajo y sofríalo 15 segundos. Incorpore el arroz y sofría, removiendo, durante 2 minutos o hasta que esté translúcido y recubierto de aceite.

3 Añada un cucharón del caldo, que debe hervir a borbotones y humear. Cueza el arroz a fuego lento y removiendo constantemente hasta que el líquido haya sido absorbido.

4 Continúe añadiendo caldo, medio cucharón cada vez, y espere siempre que el arroz lo absorba antes verter más.

5 Al cabo de unos 15 minutos, incorpore el tomate. Siga vertiendo caldo poco a poco, hasta que el arroz esté *al dente*. Añada los guisantes con el último cucharón de caldo.

6 Aparte el arroz del fuego y añada el perejil y la mitad del queso. Tápelo y déjelo reposar 1 minuto. Repártalo entre 6 platos. El *risotto* debera tener una consistencia cremosa. Rocíelo con aceite y espolvoree con el resto del queso y sírvalo de inmediato.

risotto verde

para 4 personas

1 cebolla picada

2 cucharadas de aceite de oliva

225 g de arroz para *risotto*

700 ml de caldo de verduras caliente

350 g de hortalizas verdes variadas,
tales como espárragos, judías
verdes finas, tirabeques,
calabacines, ramitos de brécol
y guisantes congelados

2 cucharadas de perejil fresco
picado

55 g de virutas de queso parmesano

sal y pimienta

SUGERENCIA

Para potenciar la textura del
risotto, añada unos piñones
tostados o unos anacardos
troceados al finalizar
la cocción.

1 Ponga la cebolla y el aceite en un bol grande. Tápelo y cuézalo en el microondas a potencia alta 2 minutos.

2 Añada el arroz y remueva para recubrirlo bien con el aceite. Vierta 5 cucharadas del caldo. Cuézalo, sin tapar, 2 minutos, hasta que el líquido se absorba. Vierta otras 5 cucharadas de caldo, vuelva a cocerlo sin tapar otros 2 minutos, y repita la operación una vez más.

3 Corte las hortalizas en trozos de tamaño similar. Incorpórelas en el arroz con el resto del caldo. Tape el recipiente y cuézalo 8 minutos,

removiendo varias veces, hasta que casi todo el líquido se haya absorbido y el arroz esté en su punto.

4 Incorpore el perejil y salpimente. Deje reposar el *risotto*, tapado, 5 minutos. Debe quedar tierno y cremoso.

5 Sirva el *risotto* a una fuente, con las virutas de queso parmesano esparcidas por la superficie.

risotto con setas silvestres

para 6 personas

55 g boletos comestibles (*cèpes*)
    secos u otro tipo de seta
unos 500 g de setas silvestres
    frescas surtidas, tales como
    níscalos, colmenillas o
    rebozuelos, cortados por
    la mitad si son grandes
4 cucharadas de aceite de oliva
3-4 dientes de ajo
4 cucharadas de mantequilla
1 cebolla picada
350 g de arroz *arborio* o *carnaroli*
3 cucharadas de vermut blanco seco
1,2 litros de caldo de pollo hirviendo
115 g de queso parmesano recién
    rallado
4 cucharadas de perejil fresco picado
sal y pimienta
6 ramitas de perejil para decorar
pan crujiente para acompañar

1 Ponga las setas secas en un bol y cúbralas con agua casi hirviendo. Déjelas en remojo durante 30 minutos y, pasado ese tiempo, sáquelas del agua y enjúguelas. Cuele el agua del remojo a través de un colador forrado con una muselina. Resérvelo.

2 Pula los pies de las setas frescas y límpielas con un pincel.

3 Caliente 3 cucharadas de aceite en una sartén grande a fuego lento, y sofría las setas frescas durante 1-2 minutos. Añada el ajo y las setas remojadas y sofría 2 minutos más, removiendo varias veces. Reserve las setas sofritas en una fuente.

4 Caliente el resto del aceite y la mitad de la mantequilla en una sartén grande a fuego medio, y sofría la cebolla, removiendo, 2 minutos o hasta que se ablande. Añada el arroz y rehóguelo, removiendo varias veces, unos 2 minutos, hasta que esté translúcido y bien recubierto de grasa.

5 Añada el vermut. Cuando casi esté absorbido, vierta un cazo (unos 225 ml) de caldo. Cueza el arroz, removiendo constantemente, hasta que lo haya absorbido.

6 Siga añadiendo caldo, cada vez medio cucharón, y cerciórese siempre antes de cada nueva adición de que la anterior haya sido absorbida por completo. Realizada de esta forma, la cocción requerirá 20-25 minutos. El *risotto* debe tener una consistencia cremosa, y el arroz, estar en su punto: tierno, pero no reblandecido.

7 Añada al *risotto* la mitad del agua de remojo de las setas reservada, así como las setas. Salpimente y, si es necesario, añada más agua del remojo. Aparte la cazuela del fuego e incorpore el resto de la mantequilla, el queso parmesano y el perejil picado. Reparta el *risotto* entre 6 platos precalentados, adórnelos con ramitas de perejil y sírvalos en seguida, con pan crujiente para acompañar.

arroz con guisantes

para 4 personas

1 cucharada de aceite de oliva

4 cucharadas de mantequilla

55 g de panceta picada o de beicon
   magro picado

1 cebolla pequeña picada

1,4 litros de caldo de pollo caliente

225 g de guisantes congelados o
   de lata

200 g de arroz para *risotto*

3 cucharadas de perejil fresco
   picado

55 g de parmesano recién rallado

pimienta

1 Caliente el aceite y la mitad de la mantequilla en una cazuela grande a fuego lento y sofría la panceta o el beicon y la cebolla durante 5 minutos o hasta que la cebolla esté translúcida, pero no dorada.

2 Vierta el caldo en la cazuela y llévelo a ebullición, a fuego medio. Incorpore el arroz y sazone con pimienta. A partir del momento en que vuelva a hervir, cuézalo a fuego lento durante 20-30 minutos, o hasta que el arroz esté tierno. Remueva de vez en cuando.

3 Añada el perejil y los guisantes y cuézalo 8 minutos más o hasta que los guisantes estén calientes y en su punto. Incorpore el resto de la mantequilla y el parmesano rallado.

4 Sirva el arroz de inmediato, en una fuente grande precalentada y con pimienta para sazonarlo al gusto.

arroz al pesto con pan de ajo

para 4 personas

300 g de arroz salvaje y de grano
    largo mezclados
albahaca fresca para decorar
ensalada de tomate y naranja para
    acompañar
PESTO
15 g de ramitas de albahaca fresca
125 g de piñones
2 dientes de ajo chafados
6 cucharadas de aceite de oliva
55 g de queso parmesano rallado
sal y pimienta
PAN DE AJO
2 barras de pan crujiente
85 g de mantequilla o margarina
    ablandada
2 dientes de ajo chafados
1 cucharadita de hierbas secas

1 Ponga el arroz en una cazuela
y cúbralo con agua. Llévelo a
ebullición a fuego medio y cuézalo
unos 15-20 minutos. Escúrralo y
resérvelo al calor.

2 Para hacer el pesto, desprenda
las hojas de albahaca de tallo y
píquelas. Reserve 25 g de piñones
y pique el resto. Mézclelos con la

albahaca y los otros ingredientes. Si lo
prefiere, tritúrelo todo en un robot de
cocina durante unos segundos, hasta
obtener una pasta fina y lisa. Resérvela.

3 Para hacer el pan de ajo, haga
cortes diagonales en la superficie
del pan cada 2,5 cm, sin llegar a
separar las rebanadas. Mezcle la
mantequilla o la margarina con el ajo
y las hierbas. Salpimente. Reparta
generosamente la mantequilla
sazonada entre las rebanadas de pan.

4 Envuelva el pan con papel de
aluminio y cuézalo 10-15 minutos
en el horno precalentado a 200 ºC.

5 Antes de servir, tueste los piñones
reservados 2-3 minutos, o hasta
que se doren, bajo el grill precalentado
a temperatura media. Incorpore el
pesto al arroz caliente y apílelo en
4 platos. Esparza los piñones tostados
y adorne con ramitas de albahaca.
Acompañe el arroz con el pan de ajo
y una ensalada de tomate y naranja.

pastel verde de pascua

para 4 personas

1 cucharada de mantequilla

85 g de rúcula

2 cucharadas de aceite de oliva

1 cebolla picada

2 dientes de ajo picados

200 g de arroz *arborio*

700 ml de caldo de pollo o de
verduras caliente

125 ml de vino blanco

55 g de queso parmesano rallado

115 g de guisantes congelados,
descongelados

2 tomates cortados en daditos

4 huevos batidos

3 cucharadas de mejorana fresca
picada

55 g de pan rallado

sal y pimienta

1 Engrase un molde de 23 cm y forre la base con papel vegetal.

2 Con un cuchillo afilado, corte la rúcula en trozos.

3 Caliente el aceite en una sartén, a fuego lento, y sofría la cebolla y el ajo hasta que se ablanden.

4 Añada el arroz, remueva y empiece a verter el caldo de cucharón en cucharón. El arroz debe absorber totalmente el líquido antes de añadir más.

5 Cueza el arroz, añadiendo también el vino, hasta que esté tierno. Eso requerirá 15 minutos como mínimo. Aparte la cazuela del fuego.

6 Incorpore el queso parmesano, los guisantes, la rúcula, el tomate, el huevo y 2 cucharadas de mejorana. Salpimente al gusto.

7 Disponga el *risotto* en el molde preparado y alise la superficie ejerciendo presión con el dorso de una cuchara de madera.

8 Esparza por encima el pan rallado y el resto de la mejorana.

9 Cueza este pastel de arroz en el horno precalentado a 180 ºC durante unos 30 minutos o hasta que cuaje. Córtelo en porciones y sírvalo inmediatamente.

risotto con marisco a la genovesa

para 4 personas

1,2 litros de caldo de pescado
  o de pollo caliente
350 g de arroz *arborio*, lavado
50 g de mantequilla
2 dientes de ajo picados
250 g de marisco surtido,
  preferiblemente crudo (gambas,
  calamares, mejillones y almejas)
2 cucharadas de orégano fresco
50 g de queso recién rallado
  (pecorino o parmesano)

SUGERENCIA

Los cocineros genoveses son excelentes; su especialidad es la preparación de deliciosos platos de pescado aromatizados con el aceite de oliva local.

1 En una cazuela grande, ponga a hervir el caldo a fuego medio. Añada el arroz y cuézalo 12 minutos, removiendo de vez en cuando, hasta que esté casi tierno. Escúrralo y reserve el caldo que sobre.

2 Caliente la mantequilla en una grande y sofría el ajo, removiendo.

3 Saltee el marisco unos 5 minutos; si es cocido, sólo 2-3 minutos.

4 A continuación, incorpore en la sartén el orégano picado.

5 Añada el arroz y rehogue 2-3 minutos, removiendo. Vierta el caldo reservado si la preparación resulta demasiado espesa. Incorpore el queso rallado y remueva bien.

6 Reparta el *risotto* entre 4 platos precalentados y sírvalo a la mesa inmediatamente.

risotto de pollo a la milanesa

para 4 personas

½-1 cucharadita de hebras de
  azafrán

1,3 litros de caldo de pollo hirviendo

85 g de mantequilla

2-3 chalotes picados

400 g de arroz *arborio* o *carnaroli*

175 g de queso parmesano recién
  rallado

sal y pimienta

ensalada verde para acompañar

1 Ponga las hebras de azafrán en un
bol pequeño y cúbralas con caldo.
Déjelas en infusión.

2 Derrita 25 g de la mantequilla
en una sartén grande a fuego
medio y sofría los chalotes durante
unos 2 minutos, hasta que empiecen a
ablandarse. Añada el arroz y rehogue,
removiendo varias veces, durante otro
2 minutos, hasta que empiece a estar
translúcido y se haya recubierto bien
de grasa.

3 Añada un cucharón (unos 225 ml)
del caldo hirviendo, que volverá
a hervir a borbotones rápidamente.
Cueza el arroz, suavemente y
removiendo con frecuencia, hasta
que absorba todo el líquido.

4 Siga añadiendo el caldo, medio
cucharón cada vez, y espere a que
cada adición haya sido completamente
aborbida antes de verter más. No deje
que el arroz se seque.

5 Al cabo de unos 15 minutos,
incorpore el caldo con el azafrán.
El arroz empezará adquirir un bonito
color amarillo. Deje que la cocción
prosiga, añadiendo el caldo de la
misma forma, hasta que el arroz esté
tierno, pero firme. El *risotto* debe tener
una consistencia cremosa.

6 Incorpore el resto de la mantequilla
y la mitad del queso rallado y
aparte la cazuela del fuego. Tápela
y deje reposar el arroz 1 minuto.

7 Distribuya el *risotto* entre 4 boles
precalentados y sírvalo de
inmediato, con el resto del queso
rallado y una ensalada verde.

231

ñoquis de espinacas y ricota

para 4 personas

1 kg de hojas de espinaca frescas

350 g de ricota

125 g de queso pecorino rallado

3 huevos batidos

½ cucharadita de nuez moscada
recién rallada

harina

1 cucharadita de aceite de oliva

125 g de mantequilla

25 g de piñones

55 g de pasas

sal y pimienta

1 Lave y escurra las hojas de espinaca. Cuézalas 4 minutos, sin añadir ningún líquido, en una cazuela bien tapada. A continuación, póngalas en un colador y oprímalas para extraer tanto líquido como sea posible. Ponga las espinacas en una batidora y tritúrelas hasta obtener un puré homogéneo.

2 Mezcle el puré de espinacas con la ricota, la mitad del pecorino, el huevo y la nuez moscada. Salpimente y mézclelo todo con delicadeza pero completamente. Añada un poquito de harina para que la pasta resulte más fácil de manejar.

3 Forme pequeñas porciones ovaladas de pasta y espolvoréelas ligeramente con un poco de harina.

4 En una cazuela grande, ponga a hervir a fuego medio agua con sal y unas gotas de aceite. Añada los ñoquis con mucho cuidado y cuézalos durante 2 minutos o hasta que suban a la superficie. Con una espumadera, páselos a una fuente que pueda ir al horno y resérvelos calientes.

5 Derrita la mantequilla en una sartén y fría los piñones y las pasas hasta que aquéllos empiecen a dorarse, y sin que nada se queme.

6 Reparta los ñoquis entre 4 platos, vierta por encima la salsa de pasas y piñones y espolvoree con el resto del queso. Sírvalos de inmediato.

ñoquis de patata y espinacas

para 4 personas

300 g de patatas harinosas en dados·

175 g de hojas de espinaca frescas

1 yema de huevo

1 cucharadita de aceite de oliva

125 g de harina

sal y pimienta

hojas de espinaca, para decorar

SALSA

1 cucharada de aceite de oliva

2 chalotes picados

1 diente de ajo chafado

300 ml de *passata*

2 cucharaditas de azúcar moreno

1 En una cazuela grande, ponga a hervir a fuego medio agua con sal y cueza las patatas 10 minutos o hasta que estén tiernas. Escúrralas y cháfelas.

2 Escalde las espinacas con un poco de agua durante 1-2 minutos. Escúrralas y córtelas en tiras.

3 Ponga la patata chafada en una tabla de picar y haga un hoyo en el centro. Añada la yema de huevo, el aceite, las espinacas, sal, pimienta y un poco de harina. Mézclelo todo bien, y vaya añadiendo harina hasta obtener una pasta firme. Divídala en pequeñas porciones.

4 Vuelva a poner a hervir abundante agua con sal. Cuando arranque el hervor, vaya cociendo los ñoquis, en tandas, durante unos 5 minutos o hasta que suban a la superficie.

5 Para hacer la salsa, ponga el aceite, los chalotes, el ajo, la *passata* y el azúcar en un cazo y cuézalo a fuego lento durante 10-15 minutos, o hasta que la salsa se espese.

6 Escurra los ñoquis sacándolos con una espumadera y póngalos en 4 platos precalentados. Vierta la salsa por encima y decore con hojas de espinacas frescas. Sírvalos sin dilación.

ñoquis de sémola al horno

para 4 personas

450 ml de caldo de verduras

100 g de sémola

1 cucharada de tomillo fresco sin tallo

1 huevo batido

50 g de queso parmesano recién
    rallado

50 g de mantequilla

2 dientes de ajo chafados

sal y pimienta

1 Ponga a hervir el caldo en una cazuela grande a fuego medio. Añada la sémola en forma de lluvia, removiendo. Remueva 3-4 minutos más o hasta que la mezcla se espese de modo que una cuchara insertada se sostenga derecha. Espere a que la pasta se entibie.

2 Añada a la sémola las hojas de tomillo, el huevo y la mitad del queso. Salpimente.

3 Extienda la pasta de sémola sobre una tabla en una capa de unos 8 mm de grosor. Espere a que se enfríe y se endurezca.

4 Cuando esté fría, corte la pasta en cuadrados de 2,5 cm de lado y reserve los retales.

5 Engrase una fuente de horno grande y disponga en la base los retales de pasta reservados. Coloque encima los cuadrados y espolvoree con el resto del queso rallado.

6 Derrita la mantequilla en un cazo, a fuego lento. Añada el ajo y sazone con pimienta. Viértalo sobre los ñoquis y cuézalos en el horno precalentado a 200 °C durante unos 15-20 minutos o hasta que se hinchen y se doren. Sírvalos calientes.

235

kebabs de polenta

para 4 personas

175 g de polenta instantánea

700 ml de agua

2 cucharadas de hojas de tomillo
fresco

8 lonchas de jamón curado (75 g)

1 cucharada de aceite de oliva

sal y pimienta

ensalada verde fresca, para servir

SUGERENCIA

En lugar de usar tomillo,
puede sazonar la polenta
con orégano, albahaca o
mejorana frescos. Ponga
1½ cucharadas de hierbas
por cada 175 g de
polenta instantánea.

1 Cueza la polenta con el agua,
removiendo de vez en cuando,
o bien siga las instrucciones del
envase.

2 Aderece la polenta con las hojas
de tomillo fresco y salpimente.

3 Extienda la polenta sobre una
tabla de picar, en una capa de
2,5 cm de grosor. Deje que se enfríe.

4 Con un cuchillo afilado, corte
la pasta de polenta en dados
de 2,5 cm de lado.

5 Corte cada loncha de jamón en
dos, a lo largo. Enrolle las tiras
alrededor de los dados de polenta.

6 Ensarte los dados en brochetas
de bambú remojadas.

7 Rocíe los *kebabs* con un poco
de aceite y áselos bajo el grill
precalentado durante 7-8 minutos,
dándoles la vuelta con frecuencia.
Si lo prefiere, hágalos en la barbacoa.
Sírvalos en los platos, con una
ensalada verde para acompañar.

Postres

Para muchas personas, lo mejor de una comida es el postre. Las recetas que aquí se han seleccionado constituirán un auténtico festín para todos los paladares. Tanto si es un entusiasta del chocolate como si sigue una dieta baja en calorías, en este capítulo encontrará, sin ninguna duda, una receta que le tiente. Desde una ligera delicia veraniega a contundentes preparaciones calientes para el invierno, aquí descubrirá una serie de postres que le complacerán a lo largo de todo el año. Si busca algo para transformar en festín una merienda, elija el pastel de plátano y lima, o el pastel de pera y jengibre; y si un pudín suntuoso tienta su fantasía, seguro que el sabayón de chocolate le satisfará el antojo.

pastel de zanahoria y jengibre

para 10 personas

1 cucharada de mantequilla

225 g de harina

1 cucharadita de levadura en polvo

1 cucharadita de bicarbonato

2 cucharaditas de jengibre molido

½ cucharadita de sal

175 g de azúcar mascabado claro

225 g de zanahorias ralladas

2 trozos de tallo de jengibre picado

25 g de raíz de jengibre fresco picado

55 g de sultanas

2 huevos medianos, batidos

3 cucharadas de aceite de maíz

el zumo de 1 naranja

GLASEADO

225 g de queso tierno bajo en grasa

4 cucharadas de azúcar glasé

1 cucharadita de esencia de vainilla

PARA DECORAR

zanahoria rallada

un poco de tallo de jengibre picado

jengibre molido

1 Engrase con la mantequilla un molde redondo de 20 cm de diámetro y fórrelo con papel vegetal.

2 Tamice la harina, la levadura en polvo, el bicarbonato, el jengibre molido y la sal sobre un cuenco grande. Incorpore el azúcar, la zanahoria, el tallo de jengibre picado, la raíz rallada y las pasas. Bata juntos los huevos con el aceite y el zumo de naranja y viértalo en el bol. Mezcle bien todos los ingredientes.

3 Vierta la pasta en el molde y cueza el pastel en el horno precalentado a 180 °C durante 1-1¼ horas, hasta que esté firme al tacto o que al clavar un pincho en el centro, salga limpio.

4 Bata el queso en un cuenco para ablandarlo. Tamice el azúcar glasé por encima y añada la esencia de vainilla. Mezcle bien.

5 Saque el pastel del molde y extienda el glaseado por la superficie. Decórelo con zanahoria rallada, pizcas de tallo de jengibre y jengibre molido. Sírvalo.

pastel de plátano y lima

para 10 personas

1 cucharada de mantequilla

300 g de harina

1 cucharadita de sal

1½ cucharaditas de levadura en polvo

175 g de azúcar mascabado claro

1 cucharadita de ralladura fina de lima

1 huevo batido

1 plátano chafado con 1 cucharada
de zumo de lima

150 ml de queso fresco bajo en grasa

115 g de sultanas

GLASEADO

115 g de azúcar glasé

1-2 cucharadas de zumo de lima

½ cucharadita de ralladura fina de
lima

PARA DECORAR

rodajas de plátano seco

ralladura fina de lima

1 Engrase con mantequilla un
molde alto de 18 cm de diámetro
y fórrelo con papel vegetal.

2 Tamice la harina, la levadura y
la sal sobre un cuenco grande.
Añada el azúcar y la ralladura de lima.

3 Haga un hoyo en el centro y
ponga el huevo, el plátano, el
queso y las sultanas. Mezcle bien.

4 Vierta la pasta en el molde y alise
la superficie. Cueza el pastel en el
horno precalentado a 180 °C durante
unos 40-45 minutos, hasta que esté
firme al tacto y que al insertar un
pincho en el centro, salga limpio.

5 Deje que el pastel se entibie en
el molde 10 minutos, y después,
que se enfríe del todo sobre una rejilla.

6 Para el glaseado, tamice el azúcar
glasé sobre un bol y mézclelo con
el zumo de lima; incorpore la ralladura.
Viértalo en trazos aleatorios sobre la
superficie y los bordes del pastel.

7 Decore el pastel con rodajas de
plátano seco y ralladura de lima.
Déjelo reposar 15 minutos para que el
glaseado se endurezca y sírvalo.

1

3

4

pastel de pera y jengibre

para 6 personas

200 g de mantequilla ablandada, y
un poco más para engrasar

175 g de azúcar

175 g de harina de fuerza

3 cucharaditas de jengibre molido

3 huevos batidos

450 g de peras de postre, peladas,
cortadas en rodajas finas y
pintadas con zumo de limón para
evitar que se ennegrezcan

1 cucharada de azúcar moreno

helado o nata ligeramente montada,
para acompañar (opcional)

SUGERENCIA

La mayor parte del azúcar
moreno que se comercializa es
azúcar refinado al que se añade
melaza. Compre azúcar de caña.

1 Engrase un molde alto de 20 cm
de diámetro y forre la base.

2 Ponga 175 g de mantequilla y el
azúcar en un cuenco. Tamice por
encima la harina y el jengibre, añada
el huevo y bata con un tenedor
hasta obtener una pasta lisa.

3 Viértala en el molde y alise la
superficie con una espátula.

4 Disponga las rodajas de pera
sobre la pasta. Espolvoree con el
azúcar moreno y esparza por encima
el resto de mantequilla en trocitos.

5 Cueza el pastel en el horno
precalentado a 180 ºC durante
35-40 minutos, o hasta que esté
dorado y elástico al tacto. Déjelo que
se enfríe sobre una rejilla.

6 Sirva el pastel caliente,
acompañado, si lo desea,
con helado o con nata batida.

pastel de queso mascarpone

1½ cucharadas de mantequilla
y un poco más para engrasar

150 g de galletas de jengibre
chafadas

25 g de tallo de jengibre, picado

500 g de queso mascarpone

la ralladura y el zumo de 2 limones

100 g de azúcar

2 huevos, claras y yemas separadas

salsa de fruta (véase *Sugerencia*)
para acompañar

SUGERENCIA

Prepare una rica salsa cociendo
durante 5 minutos 400 g de fruta,
por ejemplo arándanos, con
2 cucharadas de agua. Páselo
por un colador fino y añada 1
cucharada o más, al gusto, de
azúcar glasé tamizado. Deje que
se enfríe antes de servirla.

---

1 Engrase un molde desmontable de 25 cm de diámetro y forre la base con papel vegetal.

2 Derrita la mantequilla en un cazo a fuego lento y añada la galleta triturada y el jengibre. Extienda la pasta sobre la base del molde, presionando para que suba unos 5 mm por los lados.

3 Bata el queso con la ralladura y el zumo de limón, el azúcar y las yemas de huevo hasta obtener una crema fina.

4 En otro cuenco bien limpio, monte las claras a punto de nieve duro. Incorpórelas en la crema de queso y limón.

5 Vierta la mezcla sobre la base de galleta y cueza el pastel en el horno precalentado a 180 ºC durante 35-45 minutos, hasta que cuaje. No se preocupe si se resquebraja o se forma una depresión en el centro, porque es bastante habitual.

6 Deje enfriar el pastel de queso en el molde, y después sírvalo con una salsa de fruta.

pudín toscano

para 4 personas

1 cucharada de mantequilla

75 g de fruta seca surtida

250 g de queso ricota

3 yemas de huevo

50 g de azúcar lustre

1 cucharadita de canela molida

la ralladura de 1 naranja y tiras de
    piel de naranja para decorar

nata fresca espesa para acompañar

SUGERENCIA

La nata fresca espesa es
ligeramente agria y resulta
adecuada tanto para cocinar
como para servirla fría.

1 Unte con mantequilla 4 moldes pequeños.

2 Ponga la fruta seca en un cuenco y cúbrala con agua templada. Déjela en remojo 10 minutos.

3 Bata la ricota y las yemas de huevo en un bol. Incorpore el azúcar, la canela y la ralladura de naranja y mezcle bien.

4 Escurra la fruta seca con un colador de malla, sobre un bol. Incorpore la fruta a la crema de ricota.

5 Reparta la crema entre los moldes preparados.

6 Cueza los pudines en el horno precalentado a 180 °C durante 15 minutos, hasta que la superficie esté firme al tacto, pero no dorada.

7 Vuelque los pudines en los platos de postre y decórelos con piel de naranja. Si lo desea, sírvalos con un poco de nata fresca espesa.

pudines veraniegos

para 6 personas

1 cucharada de aceite o mantequilla
  para engrasar

6-8 rebanadas delgadas de pan de
  molde blanco, sin corteza

175 g de azúcar

300 ml de agua

225 g de fresones

500 g de frambuesas

175 g de grosellas negras
  y/o rojas

175 g de moras

nata líquida, para acompañar

1 Engrase 6 moldes de 150 ml con la mantequilla o el aceite.

2 Forre los moldes con el pan; corte las rebanadas si es necesario.

3 Ponga el azúcar y el agua en una cazo, y caliéntelo a fuego lento, removiendo, hasta que el azúcar se disuelva. Hiérvalo a fuego vivo durante 2 minutos.

4 Reserve 6 fresones grandes. Ponga la mitad de las frambuesas y el resto de las frutas en el almíbar; corte los fresones por la mitad si son grandes. Cueza a fuego lento las frutas hasta que se ablanden, sin deshacerse.

5 Ponga las frutas y parte del jugo en los moldes. Cúbralo con pan. Vierta un poco de jugo de modo que el pan quede bien remojado. Cubra los moldes con un platito, ponga un peso, déjelos enfriar y luego déjelos en la nevera, si es posible de un día al otro.

6 Ponga las frambuesas reservadas en una batidora y tritúrelas. Si lo prefiere, páselas por un colador fino. Añada líquido de cocción de las frutas hasta obtener una salsa de consistencia espesa.

7 Vuelque los pudines en platos de postre y vierta por encima la salsa de frambuesa. Decórelos con los fresones reservados y sírvalos con la nata líquida.

247

sabayón de chocolate

para 4 personas

4 yemas de huevo

4 cucharadas de azúcar

50 g de chocolate negro

125 ml de vino de Marsala

almendrados para acompañar

SUGERENCIA

Prepare este postre justo antes de servirlo, ya que si se deja reposar, se corta. Si eso empieza a suceder mientras lo prepara, apártelo del fuego de inmediato y póngalo en un bol con agua fría para interrumpir la cocción. Bata enérgicamente hasta recuperarlo.

1 Ponga las yemas y el azúcar en un bol grande de vidrio y bata con una batidora eléctrica hasta que la mezcla adquiera un color muy pálido.

2 Ralle el chocolate muy fino e incorpórelo en la crema.

3 Incorpore el marsala en la mezcla, removiendo.

4 Ponga el bol sobre una cazuela con agua hirviendo a fuego lento y bata la crema con una batidora eléctrica a la velocidad mínima o con un batidor de varillas. Sin dejar de batir, espere que se espese. Tenga cuidado de que la temperatura sea muy baja, para que el sabayón no se corte.

5 Vierta el sabayón caliente en cuencos de cristal individuales o en tazas, y sírvalo de inmediato, mientras aún esté caliente, ligero y espumoso, acompañado con unos almendrados.

sabayón

5 yemas de huevo

100 g de azúcar

150 ml marsala o jerez dulce

almendrados para acompañar

(opcional) ·

1 Ponga las yemas de huevo en un bol grande.

2 Añada el azúcar y, con un batidor de varillas, bata la mezcla hasta que se espese, esté de un color muy pálido y haya doblado su volumen.

3 Ponga el bol sobre una cazuela con agua hirviendo a fuego lento.

4 Añada el marsala o el jerez y siga batiendo hasta que la crema esté espumosa y templada. El proceso requerirá unos 10 minutos.

5 Vierta el sabayón, que habrá quedado espumoso y ligero, en 4 copas altas.

6 Sírvalo templado. Acompáñelo con almendrados, si lo desea.

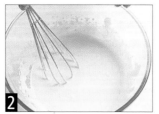

tiramisú rápido

para 4 personas

225 g de mascarpone o queso tierno

1 huevo, separada la clara de la yema

2 cucharadas de yogur natural

2 cucharadas de azúcar lustre

2 cucharadas de ron negro

2 cucharadas de café muy fuerte

8 lenguas de bizcocho

2 cucharadas de chocolate negro
   rallado

1 Ponga el queso en un cuenco grande, añada la yema de huevo y el yogur y bata hasta obtener una crema lisa.

2 Ponga la clara en un cuenco bien limpio y, con un batidor de varillas, móntela a punto de nieve no demasiado duro. Añada el azúcar y bata un poco más para incorporarlo.

3 Vierta la mitad de la crema en copas altas de helado.

4 Mezcle el ron y el café en un bol. Humedezca los bizcochos, rómpalos por la mitad o en trocitos si es necesario y repártalos entre las copas.

5 Si ha quedado algo de la mezcla de ron y café, incorpórelo en la mitad de la crema de queso reservada y repártala entre las 4 copas.

6 Espolvoree con chocolate rallado y sirva los tiramisúes de inmediato.

nidos de miel y pistachos

para 4 personas

225 g de fideos de cabello de ángel

115 g de mantequilla

175 g de pistachos pelados,
   picados

115 g de azúcar

115 g de miel clara

150 ml de agua

2 cucharaditas de zumo de limón

sal

yogur griego para acompañar

SUGERENCIA

La pasta conocida como cabello de ángel es larga y muy fina, y se suele vender en madejas que ya de por sí parecen nidos.

1 En una cazuela grande, ponga a hervir agua con sal a fuego medio. Cueza la pasta hasta que esté *al dente*. Escúrrala y vuelva a ponerla en la cazuela. Agregue la mantequilla y remueva para que la pasta quede bien recubierta. Deje que se enfríe.

2 Coloque en una bandeja de horno 4 moldes de tartaleta o 4 aros para huevos escalfados. Divida los fideos en 8 porciones iguales: ponga una en cada uno de los aros. Oprima la pasta ligeramente. Cúbrala con la mitad de los pistachos y disponga sobre éstos el resto de la pasta.

3 Cueza los nidos en el horno precalentado a 180 ºC durante 45 minutos o hasta que tengan un bonito color dorado.

4 Mientras tanto, ponga el azúcar, la miel y el agua en un cazo y llévelo a ebullición, a fuego lento, removiendo, hasta que el azúcar se haya disuelto por completo. Cuézalo 10 minutos más, añada el zumo de limón y caliéntelo otros 5 minutos.

5 Con una espátula, pase los nidos a una fuente. Vierta por encima el almíbar de miel, espolvoree con el resto de los pistachos y deje que se enfríen por completo antes de servirlos. Acompáñelos con yogur griego.